CUESTIONARIO COMENTADO DEL CELADOR DE LA AGENCIA VALENCIANA DE SALUD

Demetrio Alonso Llorca

Cuestionario comentado del celador de la Agencia Valenciana de Salud

© Demetrio Alonso Llorca

ISBN: 978-84-9948-278-1
Depósito legal: A-691-2011

Edita: Editorial Club Universitario. Telf.: 96 567 61 33
C/ Decano, 4 – 03690 San Vicente (Alicante)
www.ecu.fm
ecu@ecu.fm

Printed in Spain
Imprime: Imprenta Gamma. Telf.: 965 67 19 87
C/ Cottolengo, 25 – 03690 San Vicente (Alicante)
www.gamma.fm
gamma@gamma.fm

ÍNDICE

Presentación

El presente ejemplar está constituido por preguntas reales de convocatorias anteriores y también por preguntas inéditas, las cuales se acompañan de sus respuestas correctas. Estas preguntas, semejantes a las que el aspirante tendrá que enfrentarse en el momento de la prueba, y sus correspondientes respuestas, se han agrupado en dos partes, añadiéndose un breve comentario a las respuestas, con la intención de permitir la ampliación del tema estudiado.

El presente libro de test abarca la totalidad de las materias que componen el bloque de conocimientos específicos exigidos en el programa oficial para el acceso a plazas de celador de instituciones sanitarias de la Agencia Valenciana de Salud. Las preguntas se han formulado teniendo en cuenta lo acontecido en las pruebas de los últimos años, con sus respuestas comentadas y razonadas.

La oposición, como ya sabrá la persona interesada, consiste en la celebración de una o más pruebas dirigidas a evaluar la competencia, aptitud e idoneidad de los aspirantes para el desempeño de las correspondientes funciones mediante ejercicios que consisten en la contestación de un cuestionario de preguntas, en el cual hay que elegir la respuesta correcta entre varias opciones previamente fijadas, donde solo una de ellas es la correcta.

Como complemento del estudio del temario de la parte específica, este *Cuestionario comentado* está orientado a proporcionarle una ayuda en la preparación de las pruebas de selección. Creemos que le servirá para examinar su propio conocimiento, facilitar el repaso y fijar elementos en la memoria, obtener una medida puntual de su rendimiento y adquirir competencias en la resolución de preguntas con alternativas múltiples, y, alcanzado un punto a partir del cual usted se notará razonablemente transformado por la práctica, obtener el mejor de los aprovechamientos posibles.

La comprobación de las soluciones y la lectura de las razones en que se basan equivalen a un entrenamiento. Quienes tengan un profundo interés en aprender y desarrollar competencias, o deseen probar verdaderamente su competencia, no deben consultar las soluciones de antemano; deben contener la curiosidad hasta el momento de comenzar a corregirlos.

Con respecto a los test y a la práctica de los mismos, este cuestionario se complementa de una forma excelente con el libro *Manual básico del celador de la Agencia Valenciana de Salud*, publicado por esta misma editorial.

Solo nos queda expresar nuestro sincero deseo de buenaventura a todos los aspirantes.

Primera parte

Funciones y actuaciones del celador en los servicios sanitarios

Cuestionario n.º 1

FUNCIONES Y ACTUACIONES DEL CELADOR

1.- ¿Qué normativa aprueba el Estatuto de Personal no Sanitario al Servicio de las Instituciones Sanitarias de la Seguridad Social?

a) La Ley 14/1986 General de Sanidad.
b) La Ley 55/2003, de 16 de noviembre.
c) La Orden de 5 de julio de 1971, del Ministerio de Trabajo.
d) La Orden del Ministerio de Trabajo de 26 de abril de 1973.

2.- Las funciones del Celador están reguladas en el Estatuto de Personal no Sanitario al Servicio de las Instituciones Sanitarias de la Seguridad Social, en el artículo:

a) 11.
b) 12.
c) 13.
d) 14.

3.- Según el Estatuto de Personal no Sanitario al Servicio de las Instituciones Sanitarias de la Seguridad Social, de las funciones que se enuncian a continuación, ¿cuál de ellas debe ser realizada por los celadores?

a) Tendrán a su cargo la vigilancia diurna, cuidando de que estén cerradas las puertas de servicios complementarios.
b) Cuidarán de los enseres y ropas de la institución.
c) Servirán de ascensoristas cuando se les asigne especialmente ese cometido o las necesidades de servicio lo requieran.
d) Velarán de manera periódica por el orden y silencio de todas las dependencias de la institución.

4.- Según el Estatuto de Personal no Sanitario al Servicio de las Instituciones Sanitarias de la Seguridad Social, ¿quién encomendará a los celadores la realización de las funciones similares a las específicamente reseñadas en su estatuto?

a) El director de Gestión y Servicios Generales.
b) El jefe de personal subalterno.
c) Sus superiores.
d) El personal de Enfermería.

5.- De acuerdo con lo establecido en el artículo 14.2 del Estatuto de Personal no Sanitario al Servicio de las Instituciones Sanitarias de la Seguridad Social, son funciones del celador, entre otras (indique la incorrecta):

a) Excepcionalmente, lavar y asear a los enfermos masculinos encamados o que no puedan realizarlo por sí mismos.
b) Bañar a los enfermos masculinos cuando no puedan hacerlo por sí mismos.
c) Ayudar al personal de Enfermería en la preparación del material para su esterilización.
d) Ayudar a las enfermeras y auxiliares de planta al movimiento y traslado de los enfermos encamados que requieran un trato especial en razón a sus dolencias, para hacerles las camas.

6.- ¿Cuál de las siguientes tareas le corresponde realizar al celador?

a) Tramitar o conducir sin tardanza las comunicaciones verbales, documentos, correspondencia u objetos que le sean confiados por sus subordinados.
b) Recepción, puesta en batería y sustitución de las botellas de oxígeno en el lugar que sea preciso.
c) Ayudará al servicio de ropero en cuanto que afecta al buen orden y distribución de la ropa de lencería y en la institución.
d) Todas las respuestas anteriores son correctas.

7.- Según el Estatuto de Personal no Sanitario al Servicio de las Instituciones Sanitarias de la Seguridad Social, los celadores, en relación con diagnósticos, exploraciones y tratamiento que estén realizando a los enfermos (señale la incorrecta):

a) Orientarán siempre las consultas hacia el médico encargado de la asistencia al enfermo.
b) Informarán a los familiares de los trámites precisos para completar toda la información solicitada.
c) Se abstendrán de hacer comentarios con los familiares y visitantes.
d) No informarán sobre pronósticos de su enfermedad.

8.- Según el Estatuto de Personal no Sanitario al Servicio de las Instituciones Sanitarias de la Seguridad Social, en relación con los enfermos fallecidos los celadores:

a) Informarán a los familiares de las causas de la defunción.
b) Ayudarán a las enfermeras o personas encargadas a amortajarlos.
c) Solo trasladarán los cadáveres al mortuorio.
d) No es función ayudar a amortajar a los enfermos fallecidos.

9.- El traslado de los enfermos en el servicio de ambulancia a cargo de los celadores, con algunas limitaciones, se recoge:

a) En las normas internas de los centros sanitarios.
b) En el Estatuto de Personal no Sanitario.
c) En el Estatuto Marco.
d) A y C son ciertas.

10.- Según el Estatuto de Personal no Sanitario al Servicio de las Instituciones Sanitarias de la Seguridad Social, serán funciones del jefe de personal subalterno:

a) Cuidar del aseo y compostura de todo el personal.
b) Exigirá a todo el personal que vista el uniforme reglamentario.
c) Vigilará la limpieza de la institución a través del personal que está a sus órdenes.
d) Constatará que el personal de oficio y subalterno cumple el horario y permanece en su puesto de trabajo.

11.- ¿De quién será la responsabilidad de mantener el régimen establecido por la Dirección para el acceso de los enfermos, visitantes y personal a las distintas dependencias de la institución?

a) Del director de Gestión y Servicios Generales.
b) Del jefe de personal subalterno.
c) De los celadores.
d) Del vigilante de seguridad.

12.- Según el Estatuto de Personal no Sanitario al Servicio de las Instituciones Sanitarias de la Seguridad Social, ¿cuál de estas proposiciones no es correcta?

a) El jefe de personal subalterno vigilará personalmente la limpieza de la institución.
b) El celador dará cuenta a sus inmediatos superiores de las anomalías que encuentre en la limpieza del edificio.
c) Los celadores realizarán excepcionalmente labores de limpieza que se les encomiende, cuando su realización por el personal femenino no sea idónea o decorosa.
d) El jefe de personal subalterno ejercerá, por delegación del gerente de la institución, la jefatura del personal de celadores y ordenará y dirigirá el cumplimiento de su cometido.

13.- Según el Estatuto de Personal no Sanitario al Servicio de las Instituciones Sanitarias de la Seguridad Social, los celadores velarán por conseguir el mayor orden y silencio posible en todas las dependencias de la institución:

a) Durante la noche.
b) Frecuentemente.
c) Continuamente.
d) Periódicamente, en los pasillos y habitaciones y en las zonas de Urgencias.

14.- Según el Estatuto de Personal no Sanitario al Servicio de las Instituciones Sanitarias de la Seguridad Social es función de los celadores:

a) Hacer los servicios de guardia que correspondan dentro de los turnos que se establezcan.
b) Lavar y asear frecuentemente a los enfermos masculinos encamados o que no puedan realizarlo por sí mismos.
c) Bañar excepcionalmente a los enfermos masculinos cuando no puedan hacerlo por sí mismos.
d) Todas las respuestas anteriores son ciertas.

15.- Es función recogida en el Estatuto de Personal no Sanitario al Servicio de las Instituciones Sanitarias de la Seguridad Social:
a) Informar prudentemente de la ubicación y estado del paciente.
b) Reponer las balas de oxígeno.
c) Conocer la ubicación de todos los servicios del centro.
d) Trasladar enfermos en el servicio de ambulancias.

16.- El Estatuto de Personal no Sanitario al Servicio de las Instituciones Sanitarias de la Seguridad Social contiene una prohibición expresa en relación con los familiares de los enfermos. Señale la opción correcta:

a) Informar sobre los pronósticos de su enfermedad.
b) Comentar los diagnósticos.

c) Comentar los tratamientos.

d) Todas las respuestas anteriores son ciertas.

17.- Según el Estatuto de Personal no Sanitario al Servicio de las Instituciones Sanitarias de la Seguridad Social, uno de los siguientes traslados no corresponde realizarlo a los celadores:

a) Traslado de cadáveres al mortuorio.

b) Transporte de aparatos y mobiliario.

c) Transporte de los preparados de farmacia y efectos sanitarios siempre que su volumen y su peso no excedan de los límites establecidos en la legislación vigente.

d) Traslado de enfermos en el servicio de ambulancias.

18.- Según el artículo 14.2 de la Orden de 5 de julio de 1971, quien tramitará o conducirá sin tardanza las comunicaciones verbales, documentos, correspondencias u objetos que les sean confiados por sus superiores será:

a) El personal de administración, siempre que se trate de documentación clínica.

b) Función del celador.

c) Función recogida en el Estatuto del auxiliar de Enfermería.

d) Ninguna de las respuestas anteriores son correctas.

19.- Según el Estatuto de Personal no Sanitario al Servicio de las Instituciones Sanitarias de la Seguridad Social, para que un celador deba rasurar a un enfermo masculino que vaya a ser sometido a una intervención quirúrgica, además de concurrir la ausencia del peluquero, ¿qué otra circunstancia deberá ocurrir?

a) Ausencia del auxiliar de Enfermería.

b) Indicación expresa del cirujano principal.

c) Urgencia en el tratamiento.

d) Las que vienen a facilitar las funciones del ayudante del cirujano y del enfermero instrumentalista.

20.- Según el Estatuto de Personal no Sanitario al Servicio de las Instituciones Sanitarias de la Seguridad Social, no estaría entre las funciones del celador:

a) La vigilancia, guardia y custodia de todo tipo de dependencias de la institución.

b) Recoger y distribuir correspondencia dentro y fuera de los centros de trabajo.

c) Amortajar a los enfermos fallecidos.

d) Ayudar a la práctica de autopsias en aquellas funciones auxiliares que no requieran por su parte hacer uso de instrumental sobre el cadáver.

Cuestionario n.º 2

FUNCIONES Y ACTUACIONES DEL CELADOR

1.- Según el Estatuto de Personal no Sanitario al Servicio de las Instituciones Sanitarias de la Seguridad Social, no es función ni tarea de los celadores:

a) Vigilar las entradas de la institución, no permitiendo el acceso a sus dependencias más que a las personas autorizadas para ello.

b) Realizar recados oficiales dentro y fuera de los centros de trabajo, así como franquear correspondencia.

c) Ayudar a las enfermeras en la preparación del material para su esterilización.

d) Ayudar a las enfermeras y auxiliares de planta al movimiento y traslado de los enfermos encamados que requieran un trato especial en razón a sus dolencias, para hacerles las camas.

2.- Según el Estatuto de Personal no Sanitario al Servicio de las Instituciones Sanitarias de la Seguridad Social, es función de los celadores:

a) Cumplimentar documentación.

b) Informar y orientar a los enfermos.

c) Realizar las labores de limpieza que se les encomienden.

d) Tener a su cargo la vigilancia nocturna, cuidando de que estén cerradas las puertas de servicios complementarios.

3.- Realizar labores de limpieza será...

a) Exclusivamente responsabilidad del personal de limpieza.

b) Una tarea particular del personal de oficio.

c) Excepcionalmente una tarea de los celadores cuando su realización por el personal de limpieza no sea decorosa.

d) Excepcionalmente una función de los auxiliares de Enfermería cuando su realización por el personal de limpieza no sea idónea.

4.- ¿Quién es el responsable de comprobar que el personal de oficio y subalterno cumple el horario establecido en la institución sanitaria y permanece constantemente en su puesto de trabajo?

a) El administrador de la institución.

b) El jefe de la Dirección económica.

c) El jefe de la gestión de personal.

d) El jefe de personal subalterno.

5.- ¿Cuál de las siguientes funciones no corresponde al jefe de personal subalterno?

a) Vigilar personalmente la limpieza de la institución.

b) Ejercer el debido y discreto control de paquetes y bultos de que sean portadoras las personas ajenas a la institución que tengan acceso a la misma.

c) Informar a los familiares de los fallecidos en la institución sobre los trámites precisos para llevar a cabo los enterramientos y, en caso necesario, les pondrá en contacto con la oficina administrativa correspondiente para completar dicha información.

d) Velar continuamente por conseguir el mayor orden y silencio posible en todas las dependencias de la institución.

6.- Corresponde cuidar del aseo y compostura de los celadores...

a) Al gerente de la institución.
b) Al jefe de personal subalterno.
c) Al director de personal.
d) Al director de Gestión y Servicios Generales.

7.- ¿En qué momento un celador colocará una cuña al paciente encamado?

a) Cuando así lo establezca la supervisora de planta.
b) El celador colocará cuñas únicamente cuando esté destinado en la UVI.
c) Cuando el enfermo no pueda moverse, sea varón y se lo ordene la enfermera de planta.
d) Ninguna respuesta es correcta.

8.- El rasurado de los pacientes que vayan a ser sometidos a intervenciones quirúrgicas, según el Estatuto de Personal no Sanitario, requiere la presencia del celador:

a) Siempre que sea solicitado.
b) Solo en casos de urgencia o ausencia del peluquero.
c) Solo en caso de urgencia o ausencia del peluquero y siempre que el celador sea masculino.
d) Solo en caso de urgencia o ausencia del peluquero y siempre que el enfermo sea masculino.

9.- No es función del celador de animalario:

a) Alimentar a los animales utilizados en experimentación.
b) Mantener limpias sus jaulas.
c) El sacrificio de los animales enfermos mediante inyección intraperitoneal de pentobarbital sódico.
d) Recibir y desembalar los envíos de animales evitando cualquier retraso.

10.- Cuando no puedan hacerlo los enfermos por sí mismos, el celador:

a) Bañará a los enfermos masculinos.
b) Excepcionalmente, lavará a los enfermos masculinos.
c) Bañará a los enfermos que se lo pidan.
d) A y B son correctas.

11.- No es una función del celador:

a) Tramitar o conducir sin tardanza las comunicaciones verbales, documentos, correspondencias u objetos que le sean confiados por sus superiores.
b) Tener a su cargo el traslado de los enfermos, tanto dentro de la institución como en el servicio de ambulancias.

c) Ayudar a las enfermeras o personas encargadas a amortajar a los enfermos fallecidos, corriendo a su cargo el traslado de los cadáveres al mortuorio.

d) Realizar aquellas funciones de entidad análoga a las expuestas que le sean ordenadas por el director o administrador de la institución.

12.- Los celadores tendrán a su cargo el traslado de enfermos en el servicio de ambulancias:

a) Solamente en los casos de extrema gravedad.

b) Únicamente cuando los pacientes estén asegurados y dados de alta en la Seguridad Social.

c) Solamente cuando el traslado de enfermos implique el Servicio de Urgencias.

d) Es una función del celador regulada por la Orden de 5 de julio de 1971.

13.- El celador destinado en planta observa que un grupo de personas pretenden entrar en las habitaciones de los enfermos llevando en sus manos paquetes de gran tamaño, ante ello:

a) Prohibirá la entrada de aquellos paquetes que no estén expresamente autorizados por la Dirección.

b) Permitirá la entrada de dichos paquetes, en caso de no resultar sospechosos aun sin autorización expresa.

c) Permitirá la entrada de paquetes que no contengan alimentos.

d) Ejercerá el debido y discreto control de paquetes y bultos de que sean portadoras las personas ajenas a la institución que tengan acceso a la misma.

14.- Para el traslado de muebles, equipos y material, el celador se personará en la unidad peticionaria una vez recibida la solicitud de traslado y efectuará el porte:

a) Una vez realizado el traspaso, pedirá conformidad del mismo.

b) Solicitará previamente la conformidad del porte y realizará el traspaso.

c) Realizado el traspaso, volverá a su unidad de procedencia y será el jefe de personal subalterno quien solicitará conformidad del trabajo realizado por su subordinado.

d) El celador no realiza transporte de objetos pesados, únicamente traslada enfermos encamados de un servicio a otro.

15.- En caso de traslado de un paciente para que le sometan a pruebas complementarias, el celador:

a) Dejará al paciente abrigado con una manta y lo posicionará cerca de la consulta del médico para que el auxiliar de Enfermería pueda reconocerlo.

b) Está obligado a permanecer junto al enfermo hasta que la persona responsable de las pruebas se haga cargo del mismo.

c) Dejará al paciente abrigado con una manta y le hará entrega de la documentación clínica para que este se la entregue a la persona responsable del servicio.

d) No dejará nunca abandonado al paciente, salvo que le llamen para atender una urgencia.

16.- Cuando el celador tramita las comunicaciones verbales u objetos que le sean confiados por sus superiores:

a) Lo hará sin tardanza.

b) Debe hacerlo con rapidez, diligencia, orden y seguridad.

c) Adoptará las medidas adecuadas para que los documentos u objetos confiados lleguen a su destino sin deterioro.

d) Las respuestas A, B y C son correctas.

17.- No es función del celador:

a) Excepcionalmente, lavar y asear a los enfermos masculinos encamados o que no puedan realizarlo por sí mismos, atendiendo a las indicaciones de las supervisoras de planta o de servicio, o personas que las sustituyan legalmente en sus ausencias.

b) Bañar a los enfermos masculinos cuando no puedan hacerlo por sí mismos, siempre de acuerdo con las indicaciones que reciban de las supervisoras de planta o servicio o personas que las sustituyan.

c) Vigilar personalmente la limpieza de la institución.

d) Rasurar a los enfermos masculinos que vayan a ser sometidos a intervenciones quirúrgicas en aquellas zonas de su cuerpo que lo requieran, en caso de ausencia del peluquero o por urgencia en el tratamiento.

18.- El celador en el Servicio de Urgencias:

a) Recibe a los enfermos que acuden al Servicio de Urgencias en ambulancias, vehículos particulares y ambulantes.

b) Facilita información general, si así se lo solicitan, a enfermos y familiares acerca de la ubicación de la sala de espera, los aseos o del Servicio de Admisión de Urgencias, pero nunca información sanitaria ni administrativa.

c) La respuesta B es falsa.

d) Las respuestas A y B son ciertas.

19.- En el supuesto de que se produjesen alteraciones del orden o surgiesen conflictos con un visitante o intruso, el celador:

a) Expulsará al visitante o intruso de la institución.

b) Solicitará la ayuda de otros celadores para calmar y luego expulsar al visitante o intruso.

c) Requerirá la presencia del servicio de seguridad, que es el servicio responsable de la protección de personas y bienes.

d) Requerirá la presencia del jefe de personal subalterno, pues es el superior encargado de solucionar los conflictos dentro de la institución.

20.- Los celadores en los quirófanos:

a) Auxiliarán en todas las labores que les sean propias.

b) Tendrán a su cargo la vigilancia nocturna del quirófano.

c) Velarán para que todo el instrumental necesario esté adecuadamente disponible.

d) Ninguna es cierta.

21.- Indique la afirmación correcta.

a) Un quirófano es todo local o sala convenientemente acondicionado para hacer exclusivamente operaciones de cirugía mayor ambulatoria.

b) Un quirófano es todo local o sala convenientemente adaptado para realizar operaciones quirúrgicas.

c) Un quirófano es todo local o sala que tiene esterilizadas todas sus dependencias, excepto la zona sin limitación de acceso que está ubicada a la entrada del área quirúrgica.

d) Un quirófano es todo local o sala donde solo se efectúan operaciones con anestesia general y que requiere internamiento.

22.- Según el Estatuto de Personal no Sanitario, la desatención al público constituye una falta:

a) Leve.

b) Grave.

c) Muy grave.

d) La desatención al público no constituye falta, solo dará lugar a una amonestación verbal.

23.- No es función del celador:

a) Ayudar a las enfermeras y auxiliares de planta al movimiento y traslado de los enfermos encamados que requieran un trato especial en razón a sus dolencias, para hacerles las camas.

b) Evitar que las visitas fumen en las habitaciones.

c) Vigilar la realización de la limpieza de las habitaciones de los enfermos.

d) Servir de ascensorista cuando se le asigne especialmente ese cometido o las necesidades del servicio lo requieran.

24.- Antes del traslado de un paciente al quirófano, lo primero que debe comprobar el celador será:

a) Que esté rasurada la zona donde se efectuará la intervención.

b) Que el enfermo se mantenga en ayunas.

c) La identificación del enfermo y que la documentación que le hayan entregado corresponda al mismo.

d) La ruta que ha de seguir para llegar al quirófano con la mayor asepsia posible.

25.- En las salas de autopsias, los celadores, entre otras funciones:

a) Se encargarán de preparar el instrumental y los elementos auxiliares.

b) Utilizarán el costótomo para separar las costillas preparando el cadáver para que el médico forense intervenga posteriormente.

c) Solo podrán hacer uso de instrumental sobre el cadáver cuando se lo pida el forense.

d) Limpiarán la mesa de autopsias y la propia sala.

26.- Vigilar el acceso y estancia de los familiares y visitantes en las habitaciones de los enfermos, no permitiendo la entrada más que a las personas autorizadas, y cuidar de que no se introduzca en las instituciones más que aquellos paquetes expresamente autorizados por la Dirección, es función propia:

a) Del servicio de seguridad privada del centro.

b) Del jefe de personal subalterno.

c) Del celador.

d) Del personal que trabaja en las instituciones sanitarias, tanto sanitario como no sanitario.

27.- ¿De quién partirá la orden de que los celadores bañen a los enfermos masculinos cuando no puedan hacerlo por sí mismos?

a) De la supervisora de planta o servicio.

b) De las enfermeras de planta.

c) Del auxiliar de Enfermería.

d) Del jefe de personal subalterno.

28.- Ante la demanda de información sobre la evolución clínica de un paciente, el celador debe actuar de la siguiente manera:

a) Limitará la información y remitirá a los familiares a la oficina administrativa correspondiente para completar dicha información.
b) Se limitará a decir que no está autorizado para proporcionar información.
c) Solo proporcionará información administrativa, nunca emitirá comentarios sobre diagnósticos y mucho menos informará sobre los pronósticos de la enfermedad del paciente.
d) Orientará las consultas hacia el médico encargado de la asistencia del enfermo.

29.- Según el Estatuto de Personal no Sanitario al Servicio de las Instituciones Sanitarias de la Seguridad Social, el jefe de personal subalterno controlará el cumplimiento del horario y la permanencia en su puesto de trabajo de:

a) El personal de oficio y subalterno.
b) El personal subalterno.
c) El personal de oficio.
d) El personal de contratas de mantenimiento y servicios generales que trabajan en la institución.

30.- Según el Estatuto de Personal no Sanitario al Servicio de las Instituciones Sanitarias de la Seguridad Social, no se encuentra entre las obligaciones del celador:

a) Realizar labores cotidianas de limpieza en la sala de autopsias.
b) Tener a su cargo la vigilancia nocturna del exterior de la institución.
c) Ayudar a amortajar a los cadáveres fallecidos.
d) Hacer los turnos de guardia que se establezcan.

Cuestionario n.º 3

FUNCIONES Y ACTUACIONES DEL CELADOR

1.- Según el Estatuto de Personal no Sanitario al Servicio de las Instituciones Sanitarias de la Seguridad Social, los celadores desempeñarán las siguientes funciones (indique la incorrecta):

a) Revisar y mantener el buen funcionamiento de sillas de ruedas y pies de goteo.

b) Revisar a diario las balas de oxígeno y su funcionamiento. En caso de avería o agotamiento deberán comunicarlo debidamente a la persona responsable.

c) Constatar que el personal de oficio y subalterno cumple el horario establecido en la institución y permanece constantemente en su puesto de trabajo.

d) Retirar las camas en mal estado, o colchones, para su restauración y conservación, llevándolas al taller o al almacén, cumpliendo siempre el horario, rutas y prioridades marcadas.

2.- Señale la opción correcta.

a) El celador informará a los familiares de los fallecidos en la institución sobre los trámites precisos para llevar a cabo los enterramientos y, en caso necesario, les pondrá en contacto con la oficina administrativa correspondiente para completar dicha información.

b) El celador cuidará de que los visitantes no deambulen por los pasillos y dependencias más de lo necesario para llegar al lugar donde concretamente se dirijan.

c) El celador llevará las cuñas a los enfermos inmóviles, teniendo cuidado de su limpieza.

d) El celador en el Servicio de Urgencias facilitará, al menos, información administrativa.

3.- ¿A quién corresponde el aseo del paciente?

a) A los celadores.

b) Al auxiliar de Enfermería.

c) Al auxiliar de Enfermería, ayudando al enfermero cuando la situación del paciente lo requiera.

d) Las respuestas B y C son correctas.

4.- Cuál de las siguientes no es una función propia del celador:

a) Pasar a las camas a las parturientas con la ayuda del personal de Enfermería.

b) Tramitar o conducir sin tardanza las comunicaciones verbales, documentos, correspondencias u objetos que le sean confiados por sus superiores. Trasladar, en su caso, de unos servicios a otros los aparatos o mobiliario que se le indique.

c) Realizar excepcionalmente aquellas labores de limpieza que se les encomienden cuando su realización por el personal femenino no sea idónea o decorosa en orden a la situación, emplazamiento, dificultad de manejo, peso de los objetos o locales para limpiar.

d) Ayudar a las enfermeras y auxiliares de planta al movimiento y traslado de los enfermos encamados que requieran un trato especial en razón a sus dolencias, para hacerles las camas.

5.- El celador en relación al enfermo mental (indique la incorrecta):

a) Debe ser capaz de mostrar empatía.

b) Deberá adquirir y desarrollar ciertas habilidades sociales, por ejemplo, habilidades de autocontrol emocional para manejar las reacciones emocionales negativas.

c) Deberá dominar las emociones como ansiedad, enfado o desánimo que pueden verse aumentadas por la situación del día a día en su relación con los enfermos mentales.

d) Deberá extinguir las conductas intolerables, por ejemplo, conductas sexuales aberrantes, exhibicionismo o violencia situándose en un plano moralizante.

6.- ¿Cuál de estas tareas no es competencia del celador?

a) Vigilar las entradas de la institución, no permitiendo el acceso a sus dependencias más que a las personas autorizadas para ello.

b) Tener a su cargo la vigilancia nocturna, tanto del interior como del exterior del edificio, del que cuidará de que estén cerradas las puertas de servicios complementarios.

c) Informar a los pacientes de los resultados de las pruebas médicas.

d) Tener a su cargo los animales utilizados en los quirófanos experimentales y laboratorios, a quienes cuidará alimentándolos, aseándolos y manteniendo limpias las jaulas, tanto antes de ser sometidos a las pruebas experimentales como después de aquellas.

7.- En caso de fallecimiento de un paciente ingresado, el celador:

a) Trasladará el cadáver al mortuorio e informará a la familia.

b) Amortajará el cadáver y lo trasladará al mortuorio.

c) Ayudará a amortajar el cadáver e informará a la familia.

d) Ayudará a amortajar el cadáver y lo trasladará al mortuorio.

8.- No es función de los celadores:

a) Retirar las camas en mal estado, o colchones, para su restauración y conservación, cumpliendo siempre el horario, rutas y prioridades marcadas.

b) El traslado de las balas de oxígeno y su reposición cuando se agoten.

c) Retirada y traslado de muestras biológicas y residuos radioactivos.

d) Excepcionalmente, la limpieza interior de la ambulancia.

9.- Entre las funciones de asistencia al personal sanitario y no sanitario, el celador no realizará:

a) Ayudar a colocar a los pacientes que van a ser intervenidos en mesa de quirófano.

b) Acompañar a los pacientes y al personal de Enfermería en los paseos de los enfermos psiquiátricos.

c) Realizar la limpieza de heridas superficiales en el Servicio de Urgencias, siguiendo las instrucciones de la supervisora de servicio, o persona que la sustituya legalmente en su ausencia.

d) Prestar ayuda al personal técnico especialista en la realización de placas realizadas con el material portátil.

10.- Las ambulancias asistenciales que vayan a prestar soporte vital avanzado deberán contar, al menos, con el siguiente personal:

a) Un conductor, un celador-conductor y un ATS/DUE.

b) Un conductor, un celador-conductor, un médico y un ATS/DUE.

c) Un celador-conductor, dos médicos y un ATS/DUE.

d) Un conductor, un celador-conductor, un médico y dos ATS/DUE.

11.- Indique la proposición incorrecta.

a) La higiene es la parte de la Medicina que tiene por objeto la conservación de la salud y la prevención de enfermedades. La higiene personal incluye todas las actividades del individuo para conservar su salud.

b) El lavado de manos es la principal medida de higiene personal. Las manos son consideradas el principal vehículo en la transmisión de microbios y, por tanto, de infección nosocomial.

c) Se entiende por equipo de protección individual cualquier equipo destinado a ser llevado o sujetado por el trabajador para que le proteja de uno o varios riesgos que puedan amenazar su seguridad o su salud en el trabajo, así como cualquier complemento o accesorio destinado a tal fin.

d) El orden de colocación en medida antiséptica es: lavado de manos higiénico, calzas, mascarilla, gorro, gafas protectoras o pantalla protectora si se precisa, bata y guantes.

12.- El celador deberá seguir las normas de higiene personal:

a) Lavado de manos rutinario.

b) Al inicio de la jornada laboral, quitarse anillos y otras joyas, y cubrirse cortes, lesiones y heridas con apósito impermeable.

c) Vestir el uniforme reglamentario y utilizar siempre los elementos de protección de barrera apropiados a cada situación, especialmente cuando las actividades exijan estar en presencia directa, o indirecta, con la sangre o los fluidos biológicos de los pacientes.

d) Todas son correctas.

13.- El lavado quirúrgico es una técnica que dura:

a) Mínimo 10 minutos.

b) Mínimo 5 minutos.

c) Mínimo 12 minutos.

d) Máximo 15 minutos.

14.- En el procedimiento de lavado higiénico o rutinario, lo primero y lo último que hay que hacer es:

a) Abrir el grifo y mojar abundantemente las manos, y cerrar el grifo únicamente tocándolo con las yemas de los dedos.

b) Abrir el grifo y mojar abundantemente las manos, y secar con toalla de papel desechable por aplicación.

c) Abrir el grifo y mojar abundantemente las manos, y secar con 2 toallas estériles, una para cada mano, comenzando por los dedos y terminando por los codos.

d) Abrir el grifo y mojar abundantemente las manos, y cerrar el grifo con el papel de manos, evitando cualquier contacto de los dedos con el grifo.

15.- Los riesgos biológicos más importantes derivan de:

a) La manipulación de muestras contaminadas.

b) El contacto con sangre.

c) Salpicaduras de material orgánico.

d) Todas son ciertas.

16.- Entre las "precauciones universales" aplicables a los riesgos biológicos existentes en los centros sanitarios encontramos:

a) Vacunación y normas de higiene personal.
b) Esterilización y desinfección correcta de objetos e instrumentos.
c) Elementos de protección de barrera y cuidado con los objetos cortantes.
d) Todas las respuestas anteriores son correctas.

17.- En relación con los pacientes fallecidos, el celador:

a) Ayudará a las enfermeras o personas encargadas a amortajar a los enfermos fallecidos, corriendo a su cargo el traslado de los cadáveres al mortuorio.
b) Ayudará a la práctica de autopsias en aquellas funciones auxiliares que no requieran por su parte hacer uso de instrumental alguno sobre el cadáver. Limpiarán la mesa de autopsias y la propia sala.
c) Una vez en el mortuorio, depositará el cuerpo en la cámara frigorífica correspondiente y dejará en la puerta una etiqueta con los datos del cadáver.
d) Todas son correctas.

18.- Una vez que el médico ha firmado el certificado de defunción, comienzan los cuidados post mórtem (señale la correcta):

a) En todo momento, el celador seguirá las instrucciones e indicaciones de la enfermera o personas encargadas de realizar el amortajamiento, quienes serán los encargados de desconectar y retirar sondas, drenajes, etc.
b) El cuerpo se dejará desnudo y libre de vestimentas y joyas una vez lavado.
c) Se asegura una almohada bajo las plantas de los pies para impedir que la sangre se estanque en los tobillos.
d) A la familia no se le permitirá ver el cuerpo antes de su traslado al mortuorio.

19.- El amortajamiento es conocido como uno de los cuidados post mórtem, deberá realizarse antes de que aparezca la rigidez cadavérica:

a) Entre 15 minutos a 7 horas después de la muerte.
b) Entre 15 minutos a 14 horas después de la muerte.
c) Entre 30 minutos a 7 horas después de la muerte.
d) Entre 30 minutos a 14 horas después de la muerte.

20.- La enfermedad crea en el ser humano (indique la opción incorrecta):

a) Inquietud, preocupación, desasosiego y una gran incertidumbre que le lleva a buscar en el ambiente información clarificante acerca de lo que le pasa.
b) El enfermo tiene miedo, miedo a morir, miedo a que su enfermedad sea grave o que no tenga la mejoría esperable o que pueda revertir en invalidez.
c) En el interior del paciente surge el deseo de buscar contacto humano y espera del cuidador comprensión, afecto, interés y humanización en la asistencia.
d) No necesariamente el paciente tiene que tener miedo a la muerte, a menudo el cuidado emocional se lo brinda la propia familia, única fuente de cuidado espiritual.

21.- La relación de ayuda se define como:

a) Un proceso de interacción e influencia social cuyo objetivo es la curación del enfermo.
b) Un proceso de colaboracionismo que potencia la sinergia entre los miembros de un equipo multidisciplinar.
c) Un proceso de introspección que aumenta el autoconocimiento.
d) Un proceso único que se manifiesta por la reacción espontánea y simpática a las necesidades, sentimientos y actitudes entre dos personas.

22.- ¿Quién de los siguientes es autor de la teoría centrada en el cliente?

a) Sigmund Freud.
b) Alfred Binet.
c) Carl Rogers.
d) Richard S. Lazarus.

23.- Las condiciones esenciales de la persona que facilita la relación de ayuda son:

a) Genuinidad.
b) Empatía.
c) Aceptación positiva e incondicional.
d) Todas las anteriores.

24.- En términos generales, mejora la comunicación con el paciente:

a) Demostrar interés por su problema.
b) Manifestar una actitud positiva.
c) Ofrecer las alternativas más adecuadas para solucionar su problema.
d) Todas las anteriores son correctas.

25.- Durante una intervención quirúrgica, ¿dónde deberá permanecer el celador destinado en quirófanos?

a) En el antequirófano por si precisaran de sus servicios.
b) En el quirófano propiamente dicho.
c) En la zona donde se encuentra la sala de descanso del personal destinado en quirófanos, hasta que se requieran sus servicios.
d) En donde disponga la organización del área quirúrgica.

26.- La alimentación de los animales utilizados en los quirófanos experimentales es función de:

a) El celador.
b) El veterinario.
c) El auxiliar de laboratorio.
d) El personal responsable del animalario.

27.- Señale la proposición incorrecta.

a) Un almacén es un espacio físico, edificio o local donde se depositan las mercancías enviadas por los proveedores para un fin.
b) Suministro interno hace referencia al conjunto de tareas encaminadas a facilitar, desde el almacén central, dando salida al género, todo lo necesario a los distintos Servicios o Unidades del centro sanitario, de la mercancía por ellos demandada para poder llevar a cabo la actividad asistencial.

c) Suministro externo hace referencia al conjunto de tareas dirigidas a abastecer al almacén central de todas las mercancías que previamente han sido solicitadas a los distintos proveedores, dando registro de entrada y codificando cada producto, y destinada a ser distribuida, como suministro interno, a los Servicios o Unidades peticionarias del centro sanitario.

d) Los proveedores son las empresas encargadas de administrar internamente el abastecimiento de todas las mercancías que necesita un almacén para realizar las actividades propias (recepción y almacenamiento de mercancías, control de existencias y distribución de pedidos).

28.- Una vez el encargado de almacén ha comprobado la existencia de un suministro externo, ¿cuál es la tarea inminente que debe realizar el celador de almacén?

a) Colocar los artículos en las estanterías del almacén.
b) Recibir la mercancía comprobando el número de bultos que indica el albarán.
c) Distribuir los pedidos a las plantas.
d) Todas las respuestas anteriores son correctas.

29.- Para un mayor control de las existencias desde el punto logístico, ¿será necesario conocer muy bien?

a) La ubicación de las mercancías en el interior del almacén.
b) El número de entradas de mercancías.
c) El número de salidas de mercancías.
d) Los planos arquitectónicos del local.

30.- El material que tras su uso requiere ser tratado para volver a ser utilizado nuevamente se llama:

a) Consumible o fungible.
b) Desechable.
c) Reutilizable.
d) No consumible o inventariable.

Cuestionario n.º 4

FUNCIONES Y ACTUACIONES DEL CELADOR

1.- No es función del celador:

a) Bañar a los enfermos masculinos cuando no puedan hacerlo por sí mismos, siempre de acuerdo con las indicaciones que reciban de las supervisoras de planta o servicio, o personas que las sustituyan.

b) En el Servicio de Admisión de enfermos, acompañar a los enfermos a las plantas y servicios que les sean asignados, siempre que no sean trasladados en camillas.

c) Servir de ascensorista cuando se le asigne especialmente ese cometido o las necesidades del servicio lo requieran.

d) Tener a su cargo el traslado de los enfermos, tanto dentro de la institución como en el servicio de ambulancias.

2.- ¿Quién debe realizar dentro de la UVI el traslado de un equipo portátil de Rayos X?

a) El celador de radiodiagnóstico.

b) El celador de servicio en la UVI.

c) El técnico de rayos.

d) El auxiliar de Enfermería asistido por el celador de servicio en la UVI.

3.- Un paciente masculino se encuentra inmovilizado en la cama a causa de un accidente vascular cerebral que le ha provocado una hemiplejia izquierda. En la Unidad de Neurología existe en ese momento una gran presión asistencial y se le pide al celador que realice el aseo y limpieza a este enfermo. ¿Quién podrá ordenar al celador realizar excepcionalmente el aseo y limpieza del paciente?

a) El jefe de personal subalterno.

b) La supervisora de planta.

c) El médico responsable del paciente.

d) El director de Servicios Especiales y de Gestión.

4.- En relación con el transporte de documentación clínica (señale la correcta):

a) Corresponde el transporte de documentación clínica al celador, por ser una de sus funciones estatutarias.

b) El celador realizará transporte de documentación clínica cuando sea acompañado de personal sanitario no facultativo.

c) Realizará transporte de documentación clínica únicamente cuando así se lo ordene la supervisora de planta o servicio.

d) El transporte de documentación clínica en una instalación cerrada corresponde al celador destinado en el Archivo Central de Historias Clínicas.

5.- La periodicidad en la recogida de historias clínicas por el celador será fijada por:

a) La supervisora de servicio.
b) El jefe del Archivo Central de Historias Clínicas.
c) El director del Servicio de Admisión.
d) El director médico del hospital.

6.- ¿Cuál de las siguientes no es una función propia del celador?

a) Ayudar a las enfermeras y auxiliares de planta al movimiento y traslado de los enfermos encamados que requieran un trato especial en razón a sus dolencias, para hacerles las camas.
b) Ayudar al personal de Enfermería en la preparación del material para su esterilización.
c) Excepcionalmente, lavar y asear a los enfermos masculinos encamados o que no puedan realizarlo por sí mismos, atendiendo a las indicaciones de las supervisoras de planta o de servicio, o personas que las sustituyan legalmente en sus ausencias.
d) Bañará a los enfermos masculinos cuando no puedan hacerlo por sí mismos, siempre de acuerdo con las indicaciones que reciban de las supervisoras de planta o servicio, o personas que las sustituyan.

7.- ¿Cuál sería la actitud correcta que deberá adoptar el celador en una Unidad de Hospitalización Psiquiátrica de Agudos ante una persona ingresada con un diagnóstico de depresión mayor en fase inicial de recuperación?

a) Atender y alentar las expresiones de deseos de restaurar o mantener contactos interpersonales, que alejen del aislamiento al enfermo.
b) Alentar toda continuidad de tratamiento seguido por el enfermo, estimulando pensamientos positivos sobre sus capacidades para resolver su proceso de enfermedad.
c) Evitar conductas autodestructivas y la violencia dirigida hacia sí mismo o hacia otros, conservando en todo momento la calma.
d) Vigilar de forma discreta que no tenga a mano medios con los que pueda autolesionarse.

8.- ¿Cuál de las siguientes no es una función del celador destinado en la unidad de psiquiatría?

a) Colaborar en la técnica de sujeción mecánica de pacientes agitados.
b) Ayudar al aseo personal de los pacientes que lo precisen.
c) Vigilar el orden y la armonía entre los pacientes.
d) Alimentar a los pacientes que se nieguen a comer.

9.- Para satisfacer las necesidades fisiológicas del enfermo mental, el celador:

a) Favorecerá el ejercicio físico, acompañándole a dar algún paseo.
b) Favorecerá el ejercicio físico conminándole a caminar.
c) Favorecerá esencialmente el ejercicio pasivo para evitar que pueda fatigarse.
d) Impondrá actividades sencillas que puedan realizarse en grupo.

10.- Es función del celador en las instituciones sanitarias de la Seguridad Social:

a) Amortajar a los enfermos fallecidos cuando no exista empresa funeraria.
b) Informar a los familiares de los fallecidos en la institución sobre los trámites precisos para llevar a cabo los enterramientos.

c) Cuidar, al igual que el resto del personal, de que los enfermos no hagan uso indebido de los enseres y ropas de la institución, evitando su deterioro o instruyéndoles en el uso y manejo de las persianas, cortinas y útiles de servicio en general.

d) Informar sobre los trámites para solicitar la Tarjeta Solidaria.

11.- Un celador debe trasladar a un paciente de la cama a una silla de ruedas, y le asalta una duda: ¿cómo colocar la silla de ruedas? Para realizar la técnica correctamente, el celador tendrá que colocar la silla de ruedas:

a) Con el respaldo de la silla en los pies de la cama y paralela a esta.

b) Con el respaldo de la silla en la cabecera de la cama y paralela a la misma.

c) Con el respaldo de la silla perpendicular a la cama.

d) Con el respaldo de la silla junto al lado de la cama de mayor movilidad del enfermo.

12.- El celador de quirófano, ante una urgencia que requiere intervención quirúrgica y no hay peluquero:

a) Rasurará al paciente si es masculino.

b) Indistintamente sea masculino o femenino, por tratarse de una urgencia.

c) En los quirófanos auxiliará en todas aquellas labores propias del celador destinado en estos servicios, pero no rasurará jamás a un paciente, ya sea masculino o femenino.

d) A y B son correctas.

13.- ¿En qué posición colocará el personal de Enfermería a un paciente con enfermedad pulmonar obstructiva crónica (EPOC)?

a) Fowler.

b) Decúbito supino.

c) Trendelenburg.

d) Morestin.

14.- En las ambulancias de las instituciones sanitarias deberá asistir un celador (señale la incorrecta):

a) Irá sentado junto al enfermo en el asiento de pasajero habilitado para tal fin en la ambulancia.

b) Durante el transporte, avisará al personal titulado de cualquier anomalía que observe en el enfermo.

c) Dará instrucciones de cómo bajar al enfermo en camilla de la ambulancia a su llegada a los Servicios de Urgencias del hospital.

d) Colaborará con el personal asistencial en el traslado del enfermo de la camilla de la ambulancia a la camilla del hospital.

15.- ¿En qué tipo de pacientes está indicado el uso de los aparatos de grúa?

a) Muy pesados, independiente de su movilidad.

b) Imposibilitados y colaboradores.

c) Imposibilitados o demasiado pesados.

d) Ninguna de las anteriores.

16.- En relación al Servicio de Farmacia (señale la incorrecta):

a) La farmacia es el área donde se dispensan medicamentos de cobertura interna y externa.

b) Un farmacéutico de hospital es el profesional responsable de que el medicamento correcto prescrito por el facultativo esté disponible para su administración al paciente.

c) El farmacéutico de hospital existe solo en los hospitales públicos.

d) En el Servicio de Farmacia trabaja un equipo integrado por farmacéuticos, enfermeros, auxiliares de Enfermería, auxiliares administrativos y celadores.

17.- Si la misión del farmacéutico de hospital es garantizar la calidad, eficacia, seguridad, accesibilidad de los tratamientos con medicamentos que el paciente va a recibir, ¿cuál será la misión del celador destinado en la farmacia?

a) Realizar diariamente la distribución de medicación y otros productos de farmacia a las distintas unidades del hospital.

b) Encapsular los medicamentos en polvo.

c) Vigilar por las noches la farmacia.

d) Todas las anteriores son correctas.

18.- En relación con los animalarios, señale la proposición incorrecta:

a) El comportamiento de un animal durante un procedimiento depende en gran medida de su confianza en las personas que lo deban desarrollar. Por eso se recomienda mantener contactos frecuentes para que los animales se acostumbren a la presencia y actividad humana.

b) El celador deberá seguir en todo momento las instrucciones del programa del animalario para la limpieza, el lavado, la descontaminación y, cuando sea necesario, la esterilización de las jaulas, accesorios, biberones y cualquier otro material. También conviene mantener un alto grado de limpieza y orden en los locales de alojamiento, lavado y almacenamiento.

c) Las cajas utilizadas para el transporte, si no se pueden descontaminar de forma adecuada en el animalario, se enviarán la central de esterilización del hospital.

d) Los animales que no tengan ninguna posibilidad de recuperación serán sacrificados inmediatamente mediante un método humanitario, para que no pueda representar un peligro para el hombre o los otros animales.

19.- El Real Decreto 1201/ 2005, de 10 de octubre, sobre protección de los animales utilizados para experimentación y otros fines científicos, entiende por animal de experimentación:

a) Cualquier ser vivo vertebrado no humano, incluidas las crías de vida propia o las formas de cría en reproducción, excluidas las formas fetales o embrionarias.

b) Los animales especialmente criados para su utilización en los procedimientos en establecimientos aprobados o registrados por la autoridad competente.

c) Los animales utilizados o destinados a ser utilizados en los procedimientos.

d) Cualquier animal pequeño nacido en un animalario.

20.- La utilización de animales en los procedimientos, docencia u otros fines científicos solo podrá tener lugar cuando pretenda alcanzarse los siguientes fines (señale la incorrecta):

a) La investigación científica, incluyendo aspectos como la prevención de enfermedades, alteraciones de la salud y otras anomalías o sus efectos, así como su diagnóstico y tratamiento en el hombre, los animales o las plantas.

b) La protección del medio ambiente natural, en interés de la salud o del bienestar del hombre o los animales y mantenimiento de la biodiversidad.

c) La educación y la formación únicamente universitaria.

d) La investigación médico-legal.

21.- La depresión es (señale la incorrecta):

a) Un trastorno del estado de ánimo.
b) Una tristeza infundada, un carácter difuso, vago e impreciso que al sujeto le resulta difícil de expresar.
c) Altamente incapacitante.
d) Siempre psicótica.

22.- En Psiquiatría se llama ideas delirantes a las ideas falsas, sobrevenidas patológicamente, e irreductibles por la argumentación lógica. En la depresión estas ideas aparecen:

a) De modo súbito, repentinamente el paciente tiene como una revelación que le sirve para hacer comprensible su tristeza.
b) De modo secundario, como intentos de explicarse a sí mismo y explicar a los demás su tristeza y desesperación, de encontrarles motivo.
c) De modo primario, como un despertar de su capacidad para pensar o concentrarse.
d) De modo no deseado, como un asalto a su conciencia produciéndole mayor dolor y pesadumbre.

23.- La complicación más grave de una depresión mayor es:

a) Insomnio pertinaz prolongado.
b) Consumo de drogas.
c) El suicidio o su tentativa.
d) La pérdida de peso.

24.- El gorro cubre el pelo y evita la contaminación. El gorro en asepsia quirúrgica debe ponerse:

a) Antes del lavado higiénico de manos.
b) Antes de las calzas.
c) Después de las calzas y antes de la mascarilla.
d) Después del lavado quirúrgico.

25.- El gorro se usa en:

a) Aislamiento estricto.
b) Quemados.
c) Inmunodeprimidos.
d) Todas las anteriores son correctas

26.- ¿Qué queremos decir cuando afirmamos que una persona tiene empatía o comprensión empática hacia otra?

a) Es imaginarse uno en el lugar de la otra persona, sumergirse en el mundo subjetivo del otro, adoptar su marco de referencia y comprender objetivamente sus sentimientos y su conducta, pero sabiendo comunicar esa comprensión en una interacción.
b) Es estar libre y actuar como en realidad es uno mismo, estar abierto a los sentimientos del otro y a las actitudes que en ese momento de la relación están fluyendo en el otro.

c) Es aceptar sin condiciones al otro como una persona valiosa.

d) Todas las respuestas anteriores son correctas.

27.- El celador ayudará a la práctica de autopsias en aquellas funciones que no requieran por su parte hacer uso de instrumental alguno sobre el cadáver (señale la opción incorrecta):

a) Pesa órganos corporales y los introduce en cubos herméticos para su traslado y posterior incineración.

b) Asea el cadáver una vez efectuada la autopsia.

c) Realiza cualquier otra tarea de carácter auxiliar que le fuera encomendada por el personal médico en relación con la práctica de autopsias, por ejemplo, rellenar los huecos viscerales utilizando papel de celulosa antes de proceder a su cierre por el anatomopatólogo.

d) Todas las respuestas anteriores son incorrectas.

28.- El *exitus* significa:

a) Una expresión empleada por los facultativos para indicar la necesidad de informar a los familiares del fallecimiento del paciente.

b) La confirmación clínica del deceso por parte de un facultativo.

c) El acto de la firma del certificado de defunción por parte del médico responsable.

d) La muerte del paciente.

29.- Para el amortajamiento (señale la respuesta falsa):

a) Lavado higiénico de manos y colocación de unos guantes desechables.

b) Si hay una habitación desocupada, trasladar al paciente que comparte la habitación con el enfermo fallecido, o, en su defecto, colocar un biombo o cortina, atendiendo a las indicaciones de la enfermera.

c) Solicitar a la familia que abandone la habitación mientras se realiza el amortajamiento, atendiendo a las indicaciones de la enfermera.

d) Adecuar la altura de la cama, frenarla, colocando la cama en posición horizontal y al paciente en la posición de decúbito lateral.

30.- Entre las principales manifestaciones de la muerte no se encuentra:

a) Palidez de la piel, generalizada a todo el cuerpo.

b) Frialdad cadavérica, consecuencia de que la temperatura corporal va descendiendo gradualmente.

c) Lividez cadavérica, que se caracteriza por la aparición de unas manchas moradas en la parte inferior del cuerpo, como consecuencia de la acumulación de sangre por la acción de la gravedad.

d) La córnea se vuelve mate y opaca (el ojo se oscurece); dilatación de las pupilas (midriasis).

Cuestionario n.º 5

MOVILIZACIÓN DE PACIENTES. HIGIENE Y ASEO DEL PACIENTE

1.- Está comprendida como norma básica que deben cumplir los profesionales que realizan traslados, cambios posturales y otros movimientos de un paciente sujeto a inmovilidad, así como en cualquier otra actividad que precise sostener o desplazar personas (señale la incorrecta):

a) No realizar movimientos bruscos, sino de forma suave y rítmica.
b) Espirar en el momento de la fuerza.
c) Lavado higiénico de manos únicamente antes de entrar en contacto con los pacientes.
d) Mantener la espalda recta.

2.- En el manejo manual de cargas, no es seguro:

a) Ampliar la base de sustentación, asegurar un buen apoyo de los pies manteniéndolos separados.
b) Los pies han de estar ligeramente separados, enmarcando la carga, y adelantado uno respecto al otro.
c) Hacer el levantamiento con la espalda inclinada.
d) En caso de que el objeto esté sobre una base elevada, aproximarlo, consiguiendo una base firme y estable.

3.- Cuando en el cumplimiento de sus funciones el celador se disponga a levantar y transportar un objeto pesado, nunca deberá hacer:

a) Un sobreesfuerzo, puede dañarse la espalda.
b) Agarrar la carga con la palma de la mano firmemente, usando guantes de protección.
c) Mantener la carga lo más cerca posible del cuerpo durante todo el trayecto.
d) Llevar la carga equilibrada y prestar atención al recorrido por donde se ha de transportar la carga para evitar obstáculos, desniveles o suelos resbaladizos que puedan desequilibrar y hacer caer.

4.- Lea detenidamente la descripción siguiente: "Posición de tumbado horizontalmente sobre la espalda. Las piernas del enfermo están extendidas y sus brazos reposan alineados a lo largo del cuerpo. El plano del cuerpo descansando sobre la espalda es paralelo al plano del suelo". ¿A qué posición anatómica se está refiriendo?

a) Posición de decúbito prono o ventral.
b) Posición de decúbito supino o dorsal.
c) Posición de decúbito lateral izquierdo y derecho.
d) Posición de litotomía.

5.- La posición intermedia entre el decúbito prono y el decúbito lateral, donde el cuerpo está ligeramente inclinado hacia delante y el brazo inferior se lleva hacia atrás y un tanto separado del cuerpo, se denomina:

a) Posición de Sims.
b) Posición de decúbito lateral.
c) Posición de Trendelenburg invertida.
d) Posición de decúbito prono.

6.- ¿En qué posición anatómica estaría un paciente tumbado horizontalmente sobre la espalda y con la cabeza mucho más baja que los pies, formando el plano del cuerpo un ángulo de 45° respecto al plano del suelo?

a) Posición de Trendelenburg.
b) Posición de anti-Trendelenburg.
c) Posición de Morestin.
d) Posición ginecológica o de litotomía.

7.- La posición anatómica de Morestin es:

a) Posición de decúbito supino en la que el paciente se encuentra con la cabeza mucho más elevada que los pies, formando el plano del cuerpo un ángulo de 45° respecto al plano del suelo.
b) Posición de decúbito supino en la que el paciente se encuentra con la cabeza mucho más baja que los pies y formando el plano del cuerpo un ángulo de 45° respecto al plano del suelo.
c) Posición de decúbito supino en que el paciente se encuentra con rodillas y caderas flexionadas 90°.
d) Posición de decúbito supino en la que el paciente se encuentra con la cabeza colgando del extremo superior de la cama.

8.- La posición de Sims se conoce también como:

a) Posición semiprona.
b) Posición lateral de seguridad.
c) Posición de litotomía.
d) La respuesta A y B son ciertas.

9.- Las posiciones anatómicas más frecuentes en la movilización de cambios posturales suelen ser:

a) Decúbito supino.
b) Morestin.
c) Decúbitos laterales.
d) Las respuestas A y C son correctas.

10.- Para realizar un sondaje nasogástrico, ¿en qué posición anatómica deberán colocar al paciente el personal auxiliar y de enfermería?

a) Trendelemburg inverso.
b) Decúbito supino.
c) Roser.
d) Fowler.

11.- Para la exploración del tórax y abdomen, ¿qué posición anatómica tiene un empleo más frecuente?

a) Posición genupectoral.
b) Posición de Roser.
c) Posición de decúbito supino.
d) Posición de semi-Fowler.

12.- Para prevenir la aparición de úlceras por presión en zonas corporales que apoyan directamente sobre la superficie del colchón, pueden colocarse:

a) Elementos almohadillados de protección.
b) Cojines y almohadas.
c) Arcos de cama.
d) Todas las respuestas anteriores son correctas.

13.- En una intervención de apendicitis, ¿en qué posición ayudará el celador a colocar al paciente?

a) Fowler.
b) Roser.
c) Decúbito lateral izquierdo.
d) Decúbito supino.

14.- La posición en la que el paciente se encuentra semisentado, formando un ángulo de 45 grados con las piernas ligeramente flexionadas, se denomina:

a) Posición de Trendelenburg.
b) Posición de Fowler.
c) Posición de Roser.
d) Posición de decúbito lateral.

15.- En la posición de Fowler alto o completo, ¿cuál es el ángulo que adopta el respaldo de la cama respecto a la horizontal de la cama?

a) 30º.
b) 45º.
c) 90º.
d) 120º.

16.- La posición anatómica indicada en caso de lipotimia es:

a) Posición de Trendelenburg.
b) Posición de anti-Trendelenburg.
c) Posición de Sims.
d) Posición de decúbito lateral izquierdo.

17.- La posición de Morestin se denomina también:

a) Anti-Trendelenburg.
b) Proetz.
c) Trendelenburg invertida.
d) A y C son correctas.

18.- Para realizar intubación endotraqueal, ¿qué posición anatómica se utilizará?

a) La posición de decúbito supino.
b) La posición de Fowler elevado.
c) La posición de Roser.
d) La posición de Trendelenburg invertida.

19.- La posición de litotomía se llama también:

a) Mahometana.
b) Raquídea.
c) Ginecológica.
d) Genucubital.

20.- La posición mahometana se corresponde con la descripción:

a) Posición de decúbito supino en la que el paciente se encuentra con la cabeza colgando del extremo superior de la cama.
b) Posición del paciente apoyado sobre las rodillas y los codos, de modo que, con el tronco inclinado hacia delante, sus caderas quedan arriba y la cabeza abajo.
c) Posición del paciente apoyado sobre las rodillas y el pecho, de modo que, con el tronco inclinado hacia delante, sus caderas quedan arriba y la cabeza abajo descansada sobre los brazos cruzados.
d) Posición de decúbito supino en la que el paciente se encuentra con la cabeza mucho más baja que los pies, formando el plano del cuerpo un ángulo de 45° respecto al plano del suelo.

21.- ¿Qué posición se utiliza para realizar cirugía anal?

a) Posición genupectoral o mahometana.
b) Posición de Sims.
c) Posición de decúbito prono.
d) Posición genucubital.

22.- Indique la proposición incorrecta:

a) En la exploración de la zona dorsal, el paciente es colocado en la posición de decúbito prono.
b) La posición ginecológica o de litotomía se emplea en técnicas de enfermería como el sondaje vesical.
c) La posición de Fowler está indicada en la cirugía de la zona pélvica.
d) La posición de decúbito lateral es empleada durante la higiene corporal de la zona anal del paciente.

23.- ¿Cuándo se emplea la posición de semi-Fowler?

a) Exploración de la zona dorsal.
b) Terapéutica quirúrgica de la zona pélvica.
c) Para colocar catéteres venosos centrales.
d) Para el transporte del enfermo.

24.- Con respecto al drenaje postural, ¿cuándo se utiliza la posición de Fowler alto o completo para movilizar las secreciones respiratorias y favorecer su eliminación?

a) Cuando las secreciones se encuentran acumuladas en los lóbulos pulmonares superiores.
b) Cuando las secreciones se encuentran acumuladas en los lóbulos medios.

c) Cuando las secreciones se encuentran acumuladas en los segmentos laterales.

d) Cuando las secreciones se encuentran acumuladas en los segmentos anteriores.

25.- Para realizar el masaje cardiaco, se colocará al paciente en la posición:

a) Decúbito supino.

b) Decúbito prono.

c) Decúbito lateral derecho.

d) Decúbito lateral izquierdo.

26.- Los cambios posturales tienen como objetivo:

a) Prevenir úlceras por decúbito o presión.

b) Favorecer el retorno venoso y prevenir problemas vasculares como embolias y trombosis venosas.

c) Estimular la eliminación intestinal y el control vesical.

d) Todas las anteriores.

27.- ¿Cada cuánto tiempo se deben realizar los cambios posturales?

a) 2-3 horas.

b) 2-6 horas.

c) 3-6 horas.

d) Dos veces al día.

28.- Las úlceras por presión son lesiones de la piel que pueden ser muy graves. Están relacionadas con:

a) La inmovilidad.

b) La falta de cambios posturales.

c) A y B son ciertas.

d) El empleo recurrente de alcohol y agua de colonia para dar masajes en la piel.

29.- Es bastante frecuente a causa de la inmovilidad y por la postura en la cama la aparición de:

a) Estreñimiento.

b) Aumento de la ingesta de líquidos.

c) Fractura costal.

d) Sensibilidad a los estímulos externo (luz, ruidos, etc.).

30.- Cuando un paciente se encuentra en decúbito supino, entre las posibles zonas de aparición de úlceras por presión no se encuentran:

a) Cabeza o nuca.

b) Región sacra.

c) Rodillas.

d) Talones.

31.- En relación con los tipos de movilizaciones (indique la incorrecta):

a) En la movilización activa el paciente puede participar aunque su esfuerzo es insuficiente.

b) En la movilización pasiva el paciente no colabora ni participa activamente por estar incapacitado.

c) El celador interviene de manera decisiva en ambos tipos de movilizaciones.

d) El grado de inmovilidad depende del estado previo del enfermo, del tiempo que permaneció inmóvil, y de las causas que desencadenaron el proceso de la enfermedad y de la patología crónica subyacente.

32.- Cuando el paciente no puede colaborar, para realizar la movilización hacia la cabecera de la cama por dos celadores, no es cierto:

a) La técnica se emplea para acomodar al paciente que se ha deslizado hacia los pies.

b) Se coloca un celador en el lado derecho y otro celador en el lado izquierdo de la cama, uno enfrente del otro.

c) Con el cuerpo girado ligeramente hacia la cabecera de la cama, los celadores hacen encontrar sus manos y las entrelazan por las muñecas sujetando al paciente por debajo del cuello, hombro y región glútea.

d) No es necesario que coloquen en su sitio los objetos que hubieran movido en la preparación de la zona para realizar las movilizaciones, ya que corresponde hacerlo al auxiliar de Enfermería.

33.- Para la movilización del paciente con ayuda de una sábana, ¿qué es lo primero que hay que hacer?

a) Doblar la entremetida, tanto en su ancho como en su largo, a la mitad.

b) Introducir la entremetida por debajo del paciente mientras se encuentra en decúbito supino.

c) Colocar al paciente en decúbito lateral, llevándolo a una orilla de la cama.

d) Buscar la colaboración de tres celadores, uno de los cuales se situará a los pies de la cama.

34.- Con respecto al traslado del paciente mediante silla de ruedas, camilla o cama (señale la incorrecta):

a) El transporte del enfermo se realiza habitualmente mediante la propia cama, camilla o silla de ruedas.

b) Siempre se empuja por detrás, excepto cuando se sale o entra en el ascensor y se desciende una rampa.

c) La silla de ruedas se empuja por detrás, llevándola por la empuñadura.

d) La cama se empuja desde la cabecera, excepto cuando se entra en un ascensor.

35.- Para bajar una rampa con silla de ruedas:

a) El celador se coloca delante del paciente y camina de espaldas a la pendiente.

b) Cuando se desciende, el paciente y el celador miran en la misma dirección.

c) Cuando se desciende, el paciente y el celador se miran.

d) A y B son ciertas.

36.- El auxiliar de Enfermería es el profesional que realiza el aseo y limpieza de los enfermos, ayudando al diplomado en Enfermería cuando la situación del enfermo lo requiera. Durante el aseo del paciente, el auxiliar de Enfermería debe fijarse en:

a) El aspecto general del paciente.

b) En su grado de actividad y sus reacciones.

c) En su estado de ánimo.

d) Todas las respuestas anteriores son correctas.

37.- Señale la respuesta incorrecta con respecto a la realización del aseo del paciente en la cama:

a) Se realiza en aquellos pacientes que, conservando o no la movilidad, deben permanecer en la cama.
b) Es conveniente que lo realicen dos personas para disminuir el tiempo empleado.
c) Para mayor higiene debe realizarse obligatoriamente dos veces al día.
d) La habitación debe tener una temperatura adecuada, y no tiene que haber corrientes de aire.

38.- Con respecto al aseo del paciente en la bañera, no es cierto que:

a) El baño no durará más de 10 o 15 minutos.
b) Se llenará la bañera con agua templada (alrededor de 30-32 ºC), comprobándose la temperatura con la mano o el codo.
c) Se ayuda al enfermo a desvestirse y a entrar en el baño.
d) Se recogerá el baño y se introducirá la ropa sucia en una bolsa.

39.- Señale la proposición incorrecta:

a) El lavado de los dientes de la persona encamada debe hacerse después de cada comida.
b) La limpieza de la prótesis dental forma parte de los cuidados higiénicos.
c) El personal de Enfermería, con respecto a la higiene bucal, desempeña el papel de educador sanitario.
d) La higiene bucal en pacientes inconscientes se realizará, al menos, tres veces por semana.

40.- El lavado del cabello se debe efectuar cuando sea necesario, si no hay contraindicación para colocar al paciente en la posición de Roser. ¿Cuándo se realizará?

a) Después de la higiene de los genitales.
b) Después de lavar la cara, las orejas y el cuello y antes del lavado de los miembros inferiores.
c) Después del aseo general.
d) Por la tarde, dos horas después de la comida.

Cuestionario n.º 6

MOVILIZACIÓN DE PACIENTES. HIGIENE Y ASEO DEL PACIENTE

1.- Una de las siguientes afirmaciones no es correcta en relación con las normas básicas de mecánica corporal:

a) Doblarse en vez de agacharse para levantar objetos pesados.

b) Colocar correctamente el pie en la dirección hacia donde debe hacerse el giro para no hacerlo con la columna.

c) Tener presente que deslizar o empujar requiere menos esfuerzo que levantar.

d) No girar nunca la cintura cuando se tiene un peso entre las manos.

2.- Las lesiones dorsolumbares y de extremidades se deben principalmente a la manipulación de cargas, pero también a actividades en las que el trabajador debe asumir una variedad de posturas forzadas que pueden provocarle molestias o dolor persistente en articulaciones, músculos, tendones y en otros tejidos blandos, y puede también dañar los nervios. ¿En qué zonas son frecuentes este tipo de lesiones?

a) Hombros, cuello, columna vertebral, brazos y piernas.

b) Hombros, columna vertebral, piernas y pies.

c) Hombros, cuello, columna vertebral, tórax y abdomen.

d) Hombros, brazos, columna vertebral, abdomen y piernas.

3.- ¿En qué posición anatómica estaría un paciente tumbado horizontalmente sobre el pecho y vientre con la cabeza vuelta hacia un lado y las piernas extendidas y los brazos flexionados a ambos lados de la cabeza?

a) Posición de Morestin.

b) Posición de Roser.

c) Posición de decúbito prono o ventral

d) Posición de Fowler.

4.- Indique la descripción anatómica correcta:

a) Posición de semisentado en la cama, formando un ángulo de 45º, y las piernas del paciente semiflexionadas por las rodillas y los pies en flexión dorsal, es la posición de Sims.

b) La posición de decúbito supino en la que el paciente se encuentra con la cabeza mucho más baja que los pies, formando el plano del cuerpo un ángulo de 45º respecto al plano del suelo, se le denomina posición de Morestin o anti-Trendelenburg.

c) La posición de tumbado horizontalmente sobre un lado del cuerpo con la espalda recta, con el muslo de la pierna superior levantado y flexionado a la altura de la cadera y la pierna inferior, con la rodilla ligeramente doblada, en estado de extensión, es la posición de decúbito lateral.

d) Posición del paciente apoyado sobre las rodillas y el pecho, de modo que con el tronco inclinado hacia delante, sus caderas quedan arriba y la cabeza abajo descansada sobre los brazos cruzados, es la posición genucubital.

5.- Con respecto a la posición anatómica de Fowler (señale la incorrecta):

a) La elevación del respaldo puede ser de 30º.
b) La elevación del respaldo puede ser de 45º.
c) La elevación del respaldo puede ser de 65º.
d) La elevación del respaldo puede ser de 90º.

6.- De las siguientes, ¿cuál es la posición anatómica de Roser?

a) Posición de decúbito supino en que el paciente se encuentra con rodillas y caderas flexionadas 90º.
b) Posición de decúbito supino en la que el paciente se encuentra con la cabeza mucho más baja que los pies, formando el plano del cuerpo un ángulo de 45º respecto al plano del suelo.
c) Posición de decúbito supino en la que el paciente se encuentra con la cabeza colgando del extremo superior de la cama.
d) Posición de tumbado horizontalmente sobre un lado del cuerpo con la espalda recta y con el muslo de la pierna superior levantado y flexionado a la altura de la cadera.

7.- ¿En qué posición anatómica estaría un paciente apoyado sobre las rodillas y el pecho, con las caderas levantadas y la cabeza descansando sobre los brazos cruzados?

a) Posición ginecológica o de litotomía.
b) Posición genupectoral o mahometana.
c) Posición genucubital.
d) Posición semiprona.

8.- ¿Cuál de las siguientes posiciones anatómicas puede utilizarse por el personal auxiliar y personal de enfermería para la administración de un enema de limpieza?

a) Posición de Roser.
b) Posición de decúbito prono.
c) Posición de Sims.
d) Posición genupectoral.

9.- Para la exploración de la espalda está indicado el empleo de la posición de:

a) Decúbito supino.
b) Decúbito prono.
c) Decúbito lateral.
d) Ninguna es correcta.

10.- Para facilitar la eliminación de las secreciones en enfermos en estado de inconsciencia, ¿en qué posición se les debe colocar?
a) En decúbito prono.
b) En Sims o semiprona.
c) En Morestin.
d) En semi-Fowler.

11.- En la posición de semi-Fowler, el respaldo de la cama se eleva hasta formar un ángulo de:

a) 45°.
b) 40°.
c) 35°.
d) 30°.

12.- ¿Cuál de las siguientes posiciones anatómicas es más adecuada para colocar a un paciente que presenta problemas respiratorios?

a) Posición de Fowler.
b) Posición de decúbito supino.
c) Posición de Trendelenburg.
d) Las respuestas B y C son correctas.

13.- Un paciente en estado de *shock* hipovolémico se debe colocar en posición:

a) Morestin.
b) Trendelenburg.
c) Decúbito supino.
d) Sims o lateral de seguridad.

14.- La postura de elección en pacientes con problemas de riego sanguíneo en las extremidades inferiores es:

a) Posición de Morestin.
b) Posición de Trendelenburg.
c) Posición de decúbito prono.
d) Posición de Sims.

15.- La posición de Roser se conoce también como:

a) Posición de cochero.
b) Posición de Proetz.
c) Posición de semi-Fowler.
d) Posición genocubital.

16.- La posición anatómica de Roser no se utiliza para:

a) Realizar intubación endotraqueal.
b) Colocar catéteres venosos centrales.
c) La higiene corporal del paciente.
d) El aseo y lavado del cabello del paciente.

17.- La posición anatómica empleada en exploraciones ginecológicas se denomina:

a) Litotomía.
b) Mahometana.
c) Genucubital.
d) Raquídea.

18.- ¿Qué posición anatómica se emplea para realizar exploraciones del recto y ano?

a) Posición de Sims.
b) Posición genupectoral o mahometana.
c) Posición de decúbito prono.
d) Posición de decúbito lateral izquierdo.

19.- De las posiciones anatómicas siguientes, ¿cuál no se emplea en fisioterapia respiratoria?

a) Decúbito supino o dorsal.
b) Decúbito prono o ventral.
c) Posición de Trendelenburg.
d) Posición de Sims.

20.- Los procedimientos de movilización de cambios posturales están dirigidos:

a) A evitar las úlceras por presión.
b) A mantener la autonomía.
c) A mantener la función global.
d) Todas las respuestas anteriores son correctas.

21.- La prevención de las úlceras por presión es importante y va encaminada a reducir al máximo los factores que favorecen su producción. ¿Qué medidas preventivas se deben adoptar?

a) Higiene corporal.
b) Cambios posturales.
c) Protección de la piel.
d) Todas las respuestas anteriores son correctas.

22.- No es una complicación consecuente a la inmovilidad del paciente en la cama:

a) Las úlceras por decúbito o presión.
b) Los problemas vasculares.
c) Las infecciones respiratorias.
d) Dermatomicosis.

23.- Cuando un paciente se encuentra en decúbito lateral, entre las posibles zonas de aparición de úlceras por presión no se encuentran:

a) Cabeza o nuca.
b) Oreja
c) Costillas.
d) Trocánter mayor.

24.- La necesidad de moverse y mantener una buena postura es una necesidad básica. ¿De qué manera interviene el celador?

a) Con las movilizaciones activas y pasivas.
b) Los cambios posturales.
c) Estimulando su grado de actividad y reacciones.
d) Todas las respuestas anteriores son correctas.

25.- En el descenso de rampas con cama o camilla:

a) El celador se coloca a la cabecera y activa el dispositivo de freno.

b) El celador se coloca a los pies de la cama o camilla marchando hacia atrás.

c) El celador se coloca en la parte inferior de la cama o camilla mirando en la misma dirección que el enfermo.

d) El celador puede colocarse a un lateral o a los pies de la cama o camilla, según el grado de inclinación de la pendiente.

26.- Para acceder a un ascensor con una cama:

a) Primero entra el paciente y después el celador, empujando la cama por la cabecera.

b) Primero entra el paciente y después el celador, empujando la cama desde los pies.

c) Primero entra el celador y después el paciente, arrastrando la cama por la cabecera.

d) Primero entra el celador y después el paciente, arrastrando la cama desde los pies.

27.- Para salir del ascensor con camilla o cama, el celador:

a) Empuja la cama por los pies: primero sale el paciente y después el celador.

b) Empuja la cama por la cabecera caminando de espaldas: primero sale el celador y después el paciente.

c) Empuja la cama por los pies: primero sale el celador y después el paciente.

d) Empuja la cama por la cabecera: primero sale el paciente y después el celador.

28.- Señale la proposición correcta:

a) La entrada y salida del ascensor con silla de ruedas se efectúa de espaldas. Entrará primero el celador tirando de la silla hacia atrás y una vez dentro dará la vuelta a la silla para salir nuevamente de espaldas.

b) Para entrar en el ascensor, el celador empuja la cama por la cabecera para entrar al ascensor, de modo que primero entra el paciente y después el celador.

c) En el descenso de rampas con cama o camilla, el celador se coloca a los pies de la cama o camilla marchando hacia atrás, de espaldas.

d) Todas las anteriores son correctas.

29.- Cuántos pasos tendrá que realizar un celador para la traslación de un paciente que puede colaborar desde la cama al sillón.

a) Dos: primero sentaremos al paciente en el borde de la cama y segundo se realiza el traslado de la cama al sillón.

b) Tres: primero llevaremos al paciente al centro de la cama, segundo lo sentamos en el borde de la cama y tercero lo trasladamos de la cama al sillón.

c) Uno: en un solo movimiento hacemos deslizar al paciente sujetándolo por la cadera hasta girarlo y llevarlo de la cama al sillón.

d) Ninguno: en el traslado de la cama al sillón de un paciente que puede colaborar, la técnica no establece la ejecutoria por pasos.

30.- Para el traslado de la cama al sillón de un paciente que no puede colaborar, ¿cuánto personal como mínimo necesitaremos para realizar la maniobra?

a) Dos celadores.

b) Tres celadores.

c) Dos celadores y dos auxiliares de Enfermería.

d) Un solo celador es suficiente.

31.- En el traslado de la cama al sillón de un paciente que puede colaborar. ¿Qué posición adoptará el celador una vez sentado el enfermo en el borde de la cama?

a) De frente al paciente, con un pie entre los pies del paciente y el otro fuera.

b) De frente al paciente, con las rodillas lo más dístales de las del paciente.

c) De lado al paciente, para sujetarlo por la cintura.

d) De lado al paciente, para pasarle los brazos bajo las axilas.

32.- Para la traslación de un paciente que puede colaborar desde la cama al sillón, una vez sentado en el borde de la cama, el celador lo sujetará:

a) Rodeando los hombros con un brazo mientras el otro apoya en la cadera para hacer el giro.

b) Por las manos, deslizando al paciente hasta el suelo.

c) Por las axilas, mientras el paciente se apoya en los hombros del celador.

d) Por la cintura, mientras el paciente se apoya en los hombros del celador.

33.- Para la traslación de un paciente que no puede colaborar desde la cama al sillón, ¿dónde colocaremos el sillón?

a) Paralelo a los pies de la cama.

b) Perpendicular a la cabecera de la cama.

c) Paralelo a la cabecera de la cama.

d) Perpendicular a los pies de la cama.

34.- Para el traslado de la cama a la camilla de un paciente imposibilitado, es necesario el concurso de tres celadores. Señale la proposición incorrecta:

a) Los tres celadores se sitúan frente a la cama, adelantando un pie hacia la misma.

b) Sitúan la camilla, frenada, paralelo a la cama.

c) El celador 1 coloca un brazo debajo del cuello y los hombros y el otro bajo la cintura. El celador 2 coloca un brazo bajo la cintura y el otro bajo los glúteos. El celador 3 inserta un brazo bajo los muslos y el otro bajo las piernas.

d) Si el paciente porta sistemas intravenosos u otros dispositivos, uno de los celadores se hará cargo de los mismos. El traslado, pues, será responsabilidad de los otros dos celadores.

35.- Con respecto a los caracteres genéricos de higiene:

a) La higiene es la parte de la Medicina que tiene por objeto la conservación o mantenimiento del buen estado emocional del enfermo.

b) La higiene es la parte de la Medicina que tiene por objeto la conservación de la salud y la prevención de enfermedades.

c) La higiene es la parte de la Medicina que tiene por objeto introducir medidas preventivas que reduzcan la aparición de lesiones por decúbito en los enfermos crónicos encamados.

d) Todas las respuestas anteriores son correctas.

36.- El aseo del paciente se inicia por:

a) Las extremidades superiores.
b) Las extremidades inferiores.
c) El tórax y abdomen.
d) La cara, las orejas y el cuello.

37.- En el aseo del paciente en la cama, la habitación debe tener una temperatura adecuada, y no tiene que haber corrientes de aire. ¿Cuál será la temperatura ambiental adecuada?

a) Entre 20-22 ºC.
b) Entre 22-24 ºC.
c) No se puede fijar con precisión, en verano de 26 ºC y en invierno de 18 ºC, aproximadamente.
d) Variable, depende de la estación del año y del personal de mantenimiento.

38.- ¿En qué posición colocaremos al paciente para lavarle espalda y nalgas?

a) Posición de decúbito ventral.
b) Posición de decúbito lateral.
c) Raquídea.
d) Genupectoral.

39.- Con respecto al aseo del enfermo, no es cierto que:

a) Deberá prestarse especial atención a las zonas de pliegues cutáneos.
b) En el aseo del enfermo empezaremos por la parte anterior del cuerpo, especialmente por los brazos y ascendiendo por el cuello, orejas y cara.
c) El tórax se lava con movimientos circulares.
d) Los miembros inferiores se lavan en sentido descendente, desde la ingle hacia el muslo, la pierna y los pies.

40.- El lavado genital en las mujeres se hace:

a) En sentido descendente.
b) De abajo arriba.
c) En sentido horizontal.
d) A y C son correctas.

Cuestionario n.º 7

NORMAS DE HIGIENE. LA ESTERILIZACIÓN

1.- Un quirófano es todo local o sala convenientemente adaptado para realizar operaciones quirúrgicas. En la llamada "zona limitada", se requiere ya el uso de:

a) Mascarilla.
b) Gorro para cubrir el pelo.
c) Ropa quirúrgica y calzado específico para quirófano.
d) Ninguna respuesta es correcta.

2.- Señale la afirmación falsa.

a) El celador destinado en quirófanos se adaptará a la distribución del trabajo que disponga la organización del área quirúrgica.
b) En los quirófanos, los enchufes deben estar colocados a una altura inferior a 1,5 metros del suelo para evitar el peligro de chispas eléctricas.
c) Sirven de barrera en la transmisión de microbios el lavado de manos higiénico y la colocación de prendas protectoras (calzas, gorro, mascarilla, bata y guantes).
d) El mobiliario como el equipo médico móvil de quirófanos deben de disponer de ruedas revestidas de caucho conductor.

3.- La simple presencia de un microbio en el organismo, aun sin provocar daño, constituye:

a) El contagio.
b) La infección.
c) La presencia de una enfermedad que se ha declarado muy por debajo del umbral perceptivo.
d) La premunición.

4.- Los hongos, microbios de origen vegetal, producen en el hombre:

a) Micosis.
b) Poliomielitis.
c) Tifus exantemático.
d) Difteria.

5.- Las bacterias que no forman esporas mueren:

a) Entre los 70 y los 90 grados centígrados.
b) Entre los 40 y los 60 grados centígrados.
c) Entre los 60 y los 65 grados centígrados.
d) Entre los 100 y 120 grados centígrados.

6.- La vía de penetración de los microbios en el organismo humano es:

a) Por vía digestiva.
b) Por vía respiratoria.
c) Por contacto.
d) Todas las vías anteriores son ciertas.

7.- Con respecto a los virus, no es cierto que:

a) No poseen actividad metabólica fuera de las células que infectan.
b) Carecen de membrana nuclear y contiene ADN y ARN.
c) Son microbios de muy pequeño tamaño.
d) El herpes es causado por un virus que provoca lesiones de la mucosa y de la piel y de la sangre.

8.- La antisepsia significa:

a) Contra la putrefacción.
b) Contra la inoculación.
c) Sin putrefacción.
d) Sin premunición.

9.- Cuando hacemos mención a la destrucción de los microbios perjudiciales, pero que habitualmente no son esporas bacterianas, o evitando su desarrollo en todos los ambientes, materias o partes en que pueden ser nocivos para la salud, habitualmente mediante la utilización de calor o productos químicos, ¿a qué nos estamos refiriendo?

a) A los desinfectantes, únicamente.
b) A los antisépticos, únicamente.
c) A la esterilización, como método principal.
d) A los desinfectantes y a los antisépticos.

10.- Es un antiséptico:

a) La povidona yodada.
b) La clorhexidina al 5 %.
c) El óxido mercúrico.
d) Todos los anteriores.

11.- ¿Qué se le pide a un desinfectante químico?

a) Que tenga un alto poder germicida.
b) Que tenga un gran poder de penetración.
c) Que sea soluble en agua o alcohol.
d) Todas las respuestas anteriores son ciertas.

12.- Se llama bacteriostasis:

a) La presencia de bacterias en la orina.
b) Detención o impedimento del crecimiento bacteriano.
c) Destrucción y disolución de bacterias.
d) Adicción a cualquiera de los barbitúricos.

13.- No es una caracterización de la desinfección:

a) Evita el desarrollo de los microbios perjudiciales no esporulados existentes en personas, animales y cosas.

b) No alcanza a destruir las esporas bacterianas, las esporas de hongos o levadura, tampoco el virus de la hepatitis ni el VIH.

c) No consigue la asepsia.

d) Es aplicable únicamente a objetos.

14.- Señale la respuesta incorrecta.

a) La lejía es corrosiva para los metales.

b) Los rayos del sol actúan por medio de radiaciones ultravioletas.

c) A la técnica de desinfección que consiste en introducir instrumentos en una solución desinfectante se le denomina vaporización.

d) La acción que consiste en suprimir los microbios patógenos existentes en la habitación y ropa del enfermo se denomina desinfección.

15.- De los siguientes antisépticos, uno es incompatible con los jabones.

a) Clorhexidina al 5 %.

b) Povidona yodada.

c) Alcohol etílico al 70 %.

d) Mercurocromo.

16.- El hervido, la pasteurización y el aparato de ultrasonido son procedimientos:

a) Físicos de desinfección.

b) Químicos de desinfección.

c) Físicos de esterilización.

d) Químicos de esterilización.

17.- De los siguientes antisépticos, uno es incompatible con mercurocromo.

a) Povidona yodada.

b) Clorhexidina al 5 %.

c) Alcohol etílico al 70 %.

d) Ninguno de ellos es incompatible.

18.- Se denomina desinfección concomitante:

a) A la realizada en las habitaciones de aislamiento mediante la utilización de radiaciones ultravioletas.

b) A la realizada previamente a la ocupación de la habitación para disminuir el riesgo de contagio.

c) A la realizada mientras el paciente permanece en la habitación de aislamiento.

d) A la realizada cuando termina el periodo de aislamiento, con el fin de evitar la propagación de los microbios infecciosos.

19.- Para la realización correcta de la pasteurización, la temperatura que debe alcanzarse antes del enfriamiento rápido es de:

a) 58 grados centígrados.
b) 68 grados centígrados.
c) 78 grados centígrados.
d) 100 grados centígrados.

20.- Señale la proposición incorrecta:

a) La OMS definió la limpieza como la eliminación, mediante fregado y lavado con agua caliente, con jabón o detergente adecuado, de los agentes infecciosos y sustancias orgánicas de aquellas superficies en las cuales estos pueden encontrar condiciones adecuadas para sobrevivir o multiplicarse.
b) La limpieza es un procedimiento físico-químico dirigido a eliminar el material adherido y, por lo tanto, propio a aquellos instrumentos u objetos que se pretende limpiar.
c) Para la limpieza se utilizan soluciones con detergentes enzimáticos y desinfectantes diluidos en agua tibia.
d) El secado es el último paso de la limpieza manual. Se realiza mediante aire a presión y cuando esto no sea posible mediante un paño de un solo uso que no deje restos de tejido.

21.- La limpieza mecánica del material sanitario se efectúa en máquinas de lavado automáticas. La temperatura del agua no debe sobrepasar:

a) Los 50 ºC.
b) Los 65 ºC.
c) Los 70 ºC.
d) Los 75 ºC.

22.- Esterilización es sinónimo de:

a) Desinfección.
b) Asepsia.
c) Sépsis.
d) Antisepsia.

23.- Señale la proposición falsa:

a) La esterilización es un proceso que consigue la destrucción de toda forma de vida microbiana, incluidas sus formas esporuladas, altamente resistentes.
b) Un objeto esterilizado es un objeto aséptico.
c) La caducidad de un objeto esterilizado depende del método seguido, de las condiciones del envoltorio y su almacenamiento.
d) Todas las anteriores son correctas.

24.- No es un método de esterilización por inmersión.

a) Cámara de esterilización por formaldehído.
b) Cámara de esterilización por betapropiolactona.
c) Cámara de esterilización por óxido de etileno.
d) Glutaraldehído alcalino 2 %.

25.- ¿Qué tipo de esterilización por radiaciones en frío emite neutrones?

a) Radiaciones gamma.
b) Radiaciones beta.
c) Radiaciones ultravioleta.
d) Radiaciones ultrasónicas.

26.- En la autoclave podemos esterilizar:

a) Material textil.
b) Medicamentos en polvo.
c) Cartílagos y huesos.
d) Material óptico.

27.- ¿Qué método de esterilización por calor húmedo incorpora unas tiras reactivas para el control químico de la esterilización?

a) La cámara de formaldehído.
b) La cámara de betapropiolactoma.
c) La autoclave.
d) La cámara de óxido de etileno.

28.- La esterilización por inmersión (señale la opción incorrecta).

a) La esterilización por inmersión presenta más inconvenientes que ventajas.
b) Las soluciones suelen ser inestables y hay que cambiarlas con frecuencia, lo que aumenta el coste económico.
c) El material esterilizado debe usarse casi de inmediato, pues su almacenamiento no reserva garantías.
d) Actualmente se emplea preferentemente el formaldehído para esterilizar material de pequeñas dimensiones.

29.- Para el control biológico en los métodos de esterilización, se utilizan:

a) Esporas encerradas en tubos de vidrio.
b) Tiras reactivas que cambian de color.
c) Tiras de papel inoculado con esporas.
d) A y C son ciertas.

30.- El óxido de etileno se puede emplear mezclado con otros gases, ¿Con qué tipo de gases?

a) Gases nobles.
b) Gases inertes.
c) Gases fríos.
d) No puede ir mezclado con gases, siempre se utiliza puro.

31.- Para el control biológico de esterilización, una de las esporas que más se utilizan es:

a) Bacillus subtilis.
b) Clostridium.
c) Sporosarcina.
d) Colecistoquinina.

32.- Para esterilizar vidrio, ¿qué método de esterilización emplearemos?

a) Estufa de Poupinel.
b) Autoclave.
c) Cámara de esterilización por óxido de etileno.
d) A y B son ciertas.

33.- No es una caracterización del óxido de etileno:

a) Es un germicida de amplio espectro.
b) Es explosivo, por lo que debe emplearse con gases inertes como el dióxido de carbono y el freón.
c) Es tóxico fundamentalmente por vía digestiva y respiratoria.
d) Su densidad es nueve veces mayor que la del aire.

34.- ¿Qué tiempo necesitaríamos para esterilizar por inmersión endoscopios?

a) Un máximo de 8 horas.
b) Al menos 10 horas.
c) Un mínimo de 12 horas.
d) Entre 16 y 24 horas.

35.- La prueba Bowie y Dick se utiliza en la esterilización por calor húmedo para comprobar si la penetración del vapor de agua en el envoltorio de prueba ha sido rápida y eficaz (señale la incorrecta):

a) La prueba es de uso diario.
b) Es un test de control de esterilidad.
c) Es una prueba de eficacia.
d) La prueba se utiliza en la autoclave.

36.- La Bacillus stearothermophilus se utiliza preferentemente:

a) En el control biológico de la esterilización con óxido de etileno.
b) En el control biológico de la esterilización por vapor de agua a presión.
c) En el control biológico de la esterilización con glutaraldehído alcalino 2 %.
d) En el control biológico de la esterilización denominada tindalización.

37.- El único inconveniente que presenta la esterilización por calor húmedo es:

a) Se puede esterilizar material textil.
b) Se puede esterilizar gomas duras.
c) Deteriora el metal, oxidándolo, y además estropea los filos del instrumental.
d) Los envoltorios empleados son herméticos y fabricados con materiales muy resistentes al calor.

38.- El gas inerte que debe ir mezclado con el óxido de etileno lo hará en las siguientes proporciones:

a) 80 a 90 % de gas inerte y de 10 a 20 % de óxido de etileno.
b) 10 a 20 % de gas inerte y de 80 a 90 % de óxido de etileno.
c) 60 a 55 % de gas inerte y de 40 a 45 de óxido de etileno.
d) 60 a 70 de óxido de etileno y de 30 a 40 de gas inerte.

39.- Para la esterilización de productos farmacológicos en polvo, aceites, parafinas y grasas, el método de elección es:

a) Estufa de Poupinel.
b) Radiaciones beta.
c) Tindalización.
d) Glutaraldehído alcalino al 2 %.

40.- Con respecto a la esterilización por óxido de etileno (señale la incorrecta):

a) Se puede esterilizar aparatos ópticos y materiales termosensibles.
b) La temperatura de esterilización oscila entre 30 y 60 grados centígrados.
c) La *Bacillus stearothermophilus*, en espora, es la bacteria de elección para el control biológico de la esterilización.
d) Aquellos materiales que pueden ser esterilizados por otros métodos no deben esterilizarse por óxido de etileno.

41.- En la autoclave la temperatura oscila entre los 121 °C y los 134 °C mediante inyección de vapor saturado y seco a presión durante:

a) 5-30 minutos.
b) 10-30 minutos.
c) 15-25 minutos.
d) 25-45 minutos.

42.- El empaquetado para la esterilización por óxido de etileno se puede hacer con diversos materiales, pero nunca serán de:

a) Papel.
b) Plástico tipo polietileno.
c) Aluminio o nailon.
d) Material textil.

43.- Indique la proposición incorrecta:

a) El proceso de esterilización implica la recepción del material, limpieza, empaquetado, esterilización, control de esterilización, almacenamiento y distribución o envío a las distintas unidades y servicios del hospital.
b) El vidrio requiere 170 °C durante una hora; el instrumental pequeño (tijeras, pinzas, etc.) 120 °C durante varias horas.
c) No es imprescindible esterilizar todo el instrumental clínico que haya de tener contacto con el interior del organismo.
d) Al método de tindalización se le denomina "esterilización fraccionada" porque realiza el proceso de calentamiento en tres días sucesivos, con objeto de destruir la totalidad de las esporas que no hubieran sido destruidas en días anteriores.

44.- El óxido de etileno no deteriora los materiales y tiene un gran poder de penetración, no obstante su acción depende de cuatro variables:

a) La concentración del gas, la temperatura, la humedad relativa en el interior de la cámara y el tiempo de exposición.

b) La concentración del gas, la estabilidad, la humedad relativa en el interior de la cámara y el tiempo de exposición.

c) La pureza del gas, la temperatura, la humedad relativa en el interior de la cámara y el tiempo de exposición.

d) La concentración del gas, el resultado de la alquilación, la humedad relativa en el interior de la cámara y el tiempo de exposición.

45.- En la esterilización por óxido de etileno, en un ciclo caliente (esteriliza a 55-60 ºC), el tiempo de exposición suele ser de 160-180 minutos; en un ciclo frío (esteriliza a 37 ºC), el proceso puede durar 280 minutos. En ambos casos, el tiempo de aireación suele ser de:

a) Al menos de 8 horas.
b) Al menos de 10 horas.
c) Al menos de 12 horas.
d) Al menos de 14 horas.

46.- La humedad relativa en el interior de la cámara de esterilización por óxido de etileno debe ser:

a) Proporcional a la concentración del gas.
b) Proporcional a la temperatura.
c) Proporcional al tiempo de exposición.
d) Función inversa a la temperatura.

47.- En la cámara de esterilización por óxido de etileno la humedad relativa debe ser de:

a) 60-80 %.
b) 30-35 %.
c) 30-60 %.
d) 15-30 %.

48.- Normalmente, el material esterilizado almacenado en planta debe ser utilizado:

a) En 12-24 horas.
b) En 24-48 horas.
c) En 48-72 horas.
d) Máximo en 6 días.

49.- La luz ultravioleta se utiliza en el medio hospitalario con los siguientes fines:

a) Para acondicionar el aire; es decir, colocando lámparas de luz ultravioleta encima de las puertas y junto a los aparatos del aire acondicionado, se impide la entrada de microbios que son arrastrados por las corrientes de aire.
b) Para mantener la esterilización del instrumental que se guarda en vitrinas cerradas.
c) A y B son ciertas.
d) Ninguna de las respuestas anteriores es correcta.

50.- Con respecto a las infecciones nosocomiales, no es cierto que:

a) Cualquier agente infeccioso es capaz de producir una infección nosocomial.
b) Las fuentes principales de transmisión pueden ser los propios pacientes, o el medio y el personal sanitario.

c) Los hospitales de mayor riesgo generalmente son los de menor tamaño.

d) La mayoría de las infecciones hospitalarias se producen en el aparato urinario, aparato respiratorio y en heridas quirúrgicas.

Cuestionario n.º 8

CUESTIONES GENERALES

1.- Todo ingreso en un hospital de la red pública se realiza siempre a través de:

a) Servicio de Urgencias.
b) El médico de Atención Primaria.
c) Unidad de Admisión de pacientes.
d) El médico responsable de Atención Especializada.

2.- El Servicio de Admisión de pacientes de un hospital, una vez cumplimentada la documentación administrativa necesaria, asigna una cama para el ingreso de un paciente con problemas respiratorios, pero que puede ambular. En ese momento el celador:

a) Revisa la limpieza y todo el mobiliario clínico de la habitación antes de ser ocupada por el paciente.
b) Recibe con amabilidad al paciente cuando llega a la planta y lo acompaña a la habitación.
c) Le informa de modo comprensible sobre la unidad en que se encuentra, sobre las normas existentes y sobre la buena disposición del equipo de enfermería para atenderle.
d) Transmite en todo momento una imagen de seriedad, educación y limpieza.

3.- Los ingresos hospitalarios pueden ser de cuatro tipos (indique la incorrecta):

a) Ingresos voluntarios.
b) Ingresos urgentes.
c) Ingresos programados.
d) Ingresos intrahospitalarios.

4.- Si un usuario recibe en su propio hogar cuidados de enfermería, estando al mismo tiempo controlado médicamente, hablamos de:
a) Asistencia domiciliaria.
b) Hospitalización a domicilio.
c) Hospitalización de día.
d) Cuidados mínimos.

5.- No es cierto en relación con los músculos que:

a) Producen trabajo mecánico.
b) Reciben un mayor aporte de sangre y oxígeno en estado de reposo.
c) En el interior del músculo se forman ciertas sustancias de desecho cuando se realiza un sobreesfuerzo, especialmente anhídrido carbónico y ácido láctico, que normalmente se eliminan a través de la sangre.
d) Como consecuencia de un ejercicio muscular excesivo aparece la fatiga por acumulación de ácido láctico.

6.- Los músculos son los órganos activos del movimiento debido a su propiedad de contraerse, uniéndose a los huesos por los tendones. ¿Cuáles son sus principales funciones?

a) Producir el movimiento.
b) Producir calor y energía.
c) Revestir el esqueleto y dar forma al cuerpo humano.
d) Todas las anteriores son correctas.

7.- La llamada "posición anatómica" corresponde a:

a) Posición de decúbito dorsal.
b) Posición de decúbito ventral.
c) Posición de decúbito lateral.
d) Posición de Fowler.

8.- ¿Cuál es la posición de elección en exploraciones de cara o cuello?

a) Posición de decúbito supino.
b) Posición de Fowler.
c) Posición de Trendelenburg.
d) Posición de Roser.

9.- En las lipotimias, la posición de Trendelenburg:

a) Está contraindicada por incrementar el riesgo de edema cerebral.
b) Está indicada por permitir un mayor aporte sanguíneo cerebral.
c) Está indicada por facilitar la reanimación cardiopulmonar si fuera preciso.
d) Las respuestas B y C son correctas.

10.- ¿En qué posición un cirujano no colocará al paciente para realizarle una cirugía rectal?

a) Posición genupectoral.
b) Posición de Kraske.
c) Posición de Morestin.
d) Posición de Sims.

11.- A un paciente le van a someter a una intervención de pelvis. ¿En qué posición será colocado en la mesa quirúrgica?

a) Posición de Trendelenburg.
b) Posición de Sims.
c) Posición genupectoral.
d) Posición de Roser.

12.- Para proteger los pies de lesiones por la posición inadecuada o por el peso de la ropa de cama pueden emplearse los siguientes accesorios:

a) Arcos de cama.
b) Cojines y almohadas.
c) Férulas antirrotación.
d) Todas las respuestas anteriores son correctas.

13.- El traslado de un paciente en silla de ruedas no se debe realizar:

a) El celador debe entrar en el ascensor antes que la silla de ruedas.
b) El celador debe empujar por detrás.
c) El celador debe salir del ascensor después de la silla de ruedas.
d) En las pendientes, el celador debe colocarse delante de la silla.

14.- El celador realizará lavado higiénico de manos:

a) Al comienzo y al final de la jornada de trabajo.
b) Antes y después de entrar en contacto con cada paciente.
c) Después de usar guantes.
d) Todas son correctas.

15.- El orden de colocación de prendas protectoras en medida antiséptica es:

a) Lavado de manos higiénico, calzas, gorro, mascarilla, bata y guantes.
b) Lavado de manos higiénico, gorro, mascarilla, calzas, bata y guantes.
c) Lavado de manos higiénico, calzas, mascarilla, gorro, bata y guantes.
d) Lavado de manos higiénico, calzas, gorro, bata, mascarilla y guantes.

16.- Las mascarillas protegen de la inhalación de microbios y no permiten el paso de microorganismos al ambiente. No deben usarse:

a) Más de 1 hora seguida.
b) Más de 1,5 horas.
c) Más de 2 horas.
d) Más de 2,5 horas.

17.- La bata protege el uniforme reglamentario de contaminación o impide que los microbios de nuestra ropa se transmitan al enfermo. La bata debe ponerse:

a) Después del gorro, la mascarilla y las gafas protectoras y antes de los guantes.
b) Después del gorro, las calzas, la mascarilla y guantes.
c) Después del gorro, las gafas protectoras, la mascarilla y antes de los guantes.
d) Después de la mascarilla, las gafas protectoras y los guantes.

18.- Las calzas cubren y protegen el calzado del contacto con microbios. Las calzas se utilizan en:

a) Zonas de acceso semi y limitado del área quirúrgica.
b) Visitas a enfermos críticos.
c) En general, en todas las situaciones que requieren asepsia.
d) Todas las anteriores son correctas.

19.- Los guantes desechables son de uso obligatorio (indique la respuesta incorrecta):

a) En todo contacto que el celador tenga con el enfermo.
b) Evitan el contacto físico con secreciones, fluidos, piel, mucosas o materiales sucios o contaminados.
c) Lavado higiénico de manos antes y después de su uso.
d) Los guantes desechables de látex ofrecen una mayor protección que los de vinilo.

20.- En una relación de ayuda se requiere:

a) No solo poseer las actitudes de comprensión empática, sino también congruencia.

b) No solo poseer las actitudes de comprensión empática, sino también congruencia y aceptación positiva e incondicional.

c) No solo poseer las actitudes de comprensión empática, congruencia y aceptación positiva e incondicional, sino también saber comunicarlas para que sean percibidas por el otro.

d) En una relación de ayuda se requiere voluntad para atender asistencialmente al paciente y hacerlo de la mejor manera posible.

21.- El objetivo fundamental que se persigue en la Unidad de Cuidados Paliativos es:

a) Promover la máxima calidad de vida y autonomía a los enfermos y a su entorno familiar.

b) Las acciones fundamentales para lograr la mayor calidad de vida y confort en los pacientes que están al final de la vida es el control de los síntomas que estos presentan.

c) La atención integral, individualizada y continuada del paciente en el final de la vida y sus familias, con intención de conseguir la máxima calidad de vida, humanización y dignidad, atendiendo a sus necesidades físicas, psicológicas, sociales y espirituales.

d) Todas son correctas.

22.- El "pacto de silencio" se define como:

a) El acuerdo, explícito o no, de alterar la información al paciente por parte de los miembros de la familia, allegados y amigos, con el fin de ocultar información sobre diagnóstico, pronóstico o de cualquier otra índole relativa a la gravedad de la situación real.

b) El acuerdo de los familiares de no informar en absoluto al paciente acerca de su enfermedad con el fin de que acepte un tratamiento alternativo.

c) El acuerdo corporativo de médicos para ocultar errores sobre diagnóstico, pronóstico o de cualquier otra índole sobre un paciente tras una intervención quirúrgica de urgencia.

d) Ninguna de las respuestas anteriores es verdadera.

23.- No es un valor del celador en una relación de ayuda:

a) Mantener un deseo continuo de superación personal y profesional.

b) Buscar siempre el uso de los recursos de que se dispone con la máxima eficiencia y rendimiento.

c) Tener disposición para el trabajo en equipo.

d) Realizar juicios de valores.

24.- La escucha activa consiste en:

a) Mostrar atención al contenido del lenguaje del otro.

b) Mostrar atención tanto al contenido del lenguaje del otro como a los sentimientos que el otro nos quiere hacer transmitir a través de sus mensajes, lenguaje verbal y no verbal.

c) Mantener un estrecho contacto visual y hacerle entender que le hemos escuchado.

d) Decirle a la otra persona verbalmente y por medio de gestos que hemos comprendido lo que nos ha dicho.

25.- Aceptación positiva e incondicional significa:

a) Aprobación sin más al otro.

b) Permitir la libre y espontánea expresión del interlocutor.

c) Aceptar sin condiciones al otro como una persona única y valiosa.

d) Emplear un lenguaje responsable, correcto, respetuoso, no ofensivo, evitando comentarios improcedentes.

26.- No es una caracterización de la manía:

a) En vez de tristeza, alegría.

b) En lugar de apatía, gran actividad.

c) Cursa en fases.

d) Autoestima empobrecida.

27.- El inicio de los síntomas maníacos:

a) Suele ser paulatino.

b) Suele ser brusco.

c) Suele ser lento.

d) A y C son ciertos.

28.- Cuál de las siguientes afirmaciones sobre la ansiedad es falsa:

a) La ansiedad es distinta del miedo.

b) Existe amenaza del mundo externo.

c) Requiere hospitalización en la mayoría de los casos.

d) Disminuye la capacidad de autonomía.

29.- No es cierto con respecto a la anorexia nerviosa:

a) La característica fundamental de la anorexia nerviosa es un miedo intenso a engordar o ganar peso, aun estando por debajo del peso normal, y rechazo a mantener un peso corporal mínimo normal.

b) La mayoría de las personas anoréxicas siguen viéndose gordas a pesar de su delgadez objetiva.

c) La parte del cerebro de una paciente anoréxica que no funciona bien cuando interpreta que está muy gorda es el tálamo.

d) Normalmente requiere hospitalización.

30.- Los vínculos sociales, la integración social y las relaciones interpersonales han sido considerados como un elemento central en la calidad de vida individual. En general, los pacientes con esquizofrenia:

a) Tienden a descuidar su apariencia y sus hábitos de limpieza.

b) Pueden sentirse extraños en el mundo, incluso en el seno familiar.

c) Pueden tener modales rudos y demostrar de otros muchos modos su falta de consideración por la presencia y los sentimientos de los que les rodean.

d) Por lo general, disponen de habilidades de adaptación que son útiles para manejar situaciones estresantes.

31.- Con respecto a la esquizofrenia (señale la proposición correcta):

a) Cada uno de los síntomas típicos de la esquizofrenia es patognomónico de la enfermedad.

b) La mayoría de las personas con esquizofrenia se preocupan poco por los eventos internos y son capaces de distinguir entre los datos objetivos del mundo real y las imágenes creadas por su fantasía.

c) Las personas con esquizofrenia se caracterizan por su aislamiento social, por la distancia emocional que expresan y por la falta de capacidad para establecer una relación con los demás.
d) Habitualmente se inicia después de los 45 años.

32.- Una alucinación es una percepción sin objeto. En la esquizofrenia (señale la incorrecta):

a) Las alucinaciones pueden estar relacionadas con cualquiera de los órganos de los sentidos.
b) Las alucinaciones auditivas parecen tener una cierta preferencia por la esquizofrenia.
c) Las alucinaciones relacionadas con el olfato son también típicas de los síntomas esquizofrénicos.
d) Las alucinaciones visuales son las más corrientes y a menudo son de contenido terrorífico.

33.- En el cuidado y el bienestar de los animales se registran, al menos, los siguientes aspectos zootécnicos:

a) Lecho de los animales en las jaulas.
b) Alimento/agua.
c) Ciclos de luz
d) Todas son correctas

34.- En un animalario, los conejos de experimentación se mantienen en jaulas, que serán:

a) Metálicas horizontales o verticales divididas en habitáculos individuales en los cuales van adaptados los comederos y bebederos.
b) Maderas horizontales o verticales divididas en habitáculos individuales en los cuales van adaptados los comederos y bebederos.
c) Metálicas horizontales o verticales de madera divididas en habitáculos individuales en los cuales van adaptados los comederos y bebederos.
d) Maderas horizontales o metálicas verticales de madera divididas en habitáculos individuales en los cuales van adaptados los comederos y bebederos.

35.- El lecho de los animales en las jaulas (indique la incorrecta):

a) La cama será absorbente y libre de polvo.
b) Como cama para los animales en jaulas se empleará la viruta.
c) Como cama para los animales en jaulas se empleará el serrín.
d) La cama será no tóxica y libre de agentes infecciosos, parásitos o cualquier otra forma de contaminación.

36.- En un animalario, el alimento y el agua en las jaulas (indique la incorrecta):

a) Todos los animales podrán acceder al alimento.
b) El pienso se les proporcionará colocándolo sobre la rejilla metálica superior donde pueden acceder a él sin ninguna dificultad.
c) Todos los animales dispondrán siempre de agua potable no contaminada.
d) El agua se les proporciona mediante biberones preferentemente de plástico para que liberen sustancias solubles con tetinas de acero inoxidable, colocados sobre la rejilla.

37.- En cuanto a la temperatura ambiental y ventilación de los animales en las jaulas del animalario (señale la correcta):

a) Las celdas de alojamiento dispondrán de ventanas.

b) La temperatura y la iluminación serán variables según la especie.

c) La temperatura interior, conseguida mediante un sistema de aire acondicionado, oscilará entre los 20 y 24 grados.

d) La renovación interior del aire se realizará mediante el sistema de ventiladores puestos en el techo para conseguir estabilizar la humedad ambiental.

38.- En cuanto a los ciclos de luz en las jaulas del animalario (señale la correcta):

a) La iluminación es regulada artificialmente mediante un sistema de fotoperíodos con un ciclo luz/oscuridad que oscila entre 14 y 18 horas según la especie.

b) El ciclo luz/oscuridad tiene una gran importancia ya que influye en la propia fisiología de los animales, en especial sobre su alimentación.

c) Con respecto al sistema reproductivo, este siempre se realiza escogiendo aquellos individuos que presenten unas mejores condiciones y procurando que estos procedan de unidades de cría procedentes de las mismas familias.

d) Las unidades de cría son renovadas cada 6 o 7 meses con el fin de evitar el proceso degenerativo que se produce en las crías cuando existe una edad avanzada en los reproductores.

39.- El sacrificio con métodos humanitarios de los animales en el animalario podrá hacerse por:
a) Inhalación de éter anestésico.
b) Inyección intraperitoneal de pentobarbital sódico.
c) Decapitación.
d) Todas son correctas.

40.- La distribución de los pedidos desde los distintos almacenes a los servicios del hospital recibe el nombre de:

a) Suministro interno.
b) Suministro externo.
c) Suministro general.
d) Suministro, simplemente.

41.- Los materiales que poseen una vida media larga y no sufren gran deterioro por el uso se llaman:

a) Consumible o fungible.
b) Desechable.
c) Reutilizable.
d) No consumible o inventariable.

42.- La actividad propia de un almacén es:

a) Recepción de mercancías.
b) Almacenamiento.
c) Control de existencias y distribución de pedidos internos.
d) Todas las anteriores son correctas.

43.- La estancia temporal de las mercancías en el almacén se denomina:

a) Almacenamiento.

b) Planificación y previsión de aprovisionamiento.

c) Control de existencias.

d) Gestión administrativa y control económico.

44.- El material que solo permite un uso se llama:

a) Perecedero.

b) Desechable.

c) Reutilizable.

d) No consumible o inventariable.

45.- El objeto último de los almacenes es:

a) Satisfacer las necesidades de los Servicios.

b) Mantener los suministros del centro custodiado.

c) La custodia de los pedidos.

d) La distribución de pedidos.

46.- El material informático es considerado:

a) Fungible.

b) No consumible.

c) Reutilizable.

d) No sanitario.

47.- La palabra necropsia (*autopsia*) se utiliza para definir la técnica médica con la cual se examina un cuerpo después de la muerte. Si la necropsia se realiza por interés científico-sanitario, ¿quién la realizará?

a) El médico forense.

b) El médico patólogo.

c) El catedrático anatomopatólogo.

d) Cualquier médico que muestre interés en averiguar la verdadera causa de la muerte.

48.- La OMS definió la Atención Primaria en la Conferencia de Alma-Ata y fijó como principio fundamental:

a) El desarrollo de los países del tercer mundo.

b) Ofrecer a la población los conocimientos para resolver los problemas de salud.

c) El desarrollo de la Atención Primaria de la salud.

d) Favorecer el desarrollo de los servicios sanitarios de los países del tercer mundo.

49.- Según la OMS la salud es:

a) Ausencia de enfermedad.

b) Un equilibrio físico y químico.

c) Un estado de equilibrio físico y mental.

d) Un estado de bienestar físico, psíquico y social, y no solo la ausencia de infecciones o enfermedades.

50.- Con respecto a la oxigenoterapia (señale la respuesta incorrecta):

a) La oxigenoterapia consiste en la administración de oxígeno gaseoso a un paciente que tiene problemas de hipoxia.

b) El oxígeno es un gas incoloro, inodoro, explosivo y altamente inflamable; su manipulación requiere serias medidas de seguridad.

c) El oxígeno se administra al paciente en estado puro a través de gafas nasales o mascarilla.

d) La administración de oxígeno prehospitalario procede de las denominadas balas o bombonas.

51.- Señale la respuesta correcta:

a) Para administrar oxígeno a los pacientes es necesario humedecerlo para que no provoque irritación en la mucosa; se hace pasar el gas por un frasco cerrado que contiene agua destilada.

b) Una de las ventajas de las gafas nasales es que el oxígeno se administra en el interior de las fosas nasales simultáneamente y de este modo se regula la concentración de oxígeno.

c) Los tubos endotraqueales son fáciles de insertar y es probablemente la forma menos invasiva y más efectiva de administrar oxígeno al paciente.

d) La presión del oxígeno en el interior de la bala de acero se mide por medio de caudalímetro.

52.- Se dice que un paciente está inerte cuando:

a) Está muerto.

b) Está reposando en posición de decúbito supino.

c) Está inmovilizado totalmente en una cama circoeléctrica.

d) La respuesta A y C son correctas.

53.- No es cierto con respecto a la cama hospitalaria:

a) La cama hospitalaria es articulada y posee un somier con segmentos fijos.

b) Hoy día se tiende a que todas las camas de hospital sean eléctricas.

c) La cama va provista de ruedas móviles que permiten un fácil y suave desplazamiento.

d) Dispone de un sistema de frenado para que permanezca anclada en el suelo.

54.- Las medidas normales de la cama hospitalaria son:

a) Ancho: de 0,80 o 0,90 m; largo: 2 m; y alto (sin colchón) de 0,70 m.

b) Ancho: de 0,70 o 0,80 m; largo: 2 m; y alto (sin colchón) de 0,70 m.

c) Ancho: de 0,90 o 0,95 m; largo: 1, 95 m; y alto (sin colchón) de 0,75 m.

d) Ancho: de 0,80 o 0,90 m; largo: 1,95 m; y alto (sin colchón) de 0,75 m.

55.- En la habitación con dos camas hospitalarias, ¿qué espacio debe existir, como mínimo, entre las camas?

a) 0, 9 metros.

b) 1,10 metros.

c) 1,20 metros.

d) 1,30 metros.

56.- ¿Qué distancia mínima debe haber entre la cama hospitalaria y la pared lateral?

a) 0,3 metros.

b) 1,10 metros.

c) 1,20 metros.

d) 0,7 metros.

57.- Además de la cama articulada existen otros modelos más apropiados para patologías específicas. ¿Cómo se denomina la cama ortopédica indicada cuando el paciente tiene colocada una tracción, con el fin de resolver fracturas y luxaciones?

a) De Juder.
b) De Foster.
c) De Stryker.
d) Circoeléctrica.

58.- ¿Qué tipo de cama ortopédica se utiliza para enfermos con lesiones en la columna vertebral, y permite la inmovilización total para conservar la alineación correcta del paciente?

a) Cama circoeléctrica.
b) Armazón de Foster y de Stryker.
c) Cama ortopédica de Juder.
d) Cama articulada de colchón de aire.

59.- ¿Qué tipo de cama especial se utiliza para pacientes politraumatizados y lesiones medulares, que tienen que ser inmovilizados de forma completa?

a) Cama circoeléctrica.
b) Armazón de colchón de agua caliente.
c) Cama ortopédica de Juder.
d) Cama articulada de Trendelenburg.

60.- ¿Qué accesorio facilita la movilidad del paciente encamado?

a) Arco de proteción.
b) Cuñas-tope.
c) Centinelas de noche.
d) Triángulo de Balkan o estribo.

Respuestas y comentarios al cuestionario n.º 1

1.- Respuesta correcta: C

La Orden de 5 de julio de 1971, del Ministerio de Trabajo, aprueba el Estatuto de Personal no Sanitario al Servicio de las Instituciones Sanitarias de la Seguridad Social y regula las funciones propias del celador. La Ley 14/1986, General de Sanidad, en su artículo 84, determina que los profesionales se regirán por lo establecido en el Estatuto Marco que aprobará el Gobierno. La Ley 55/2003, de 16 de noviembre, aprueba el Estatuto Marco del Personal estatutario de los Servicios de Salud y deroga los estatutos que hasta la fecha estaban vigentes. Por su parte, el Estatuto de Personal Sanitario no Facultativo de la Seguridad Social se rige por la Orden del Ministerio de Trabajo de 26 de abril de 1973.

2.- Respuesta correcta: D

El artículo 14.2 de la Orden de 5 de julio de 1971, del Ministerio de Trabajo, recoge las funciones del celador.

3.- Respuesta correcta: C

Clasificar y ordenar las lencerías de planta a efectos de reposición de ropas y de vestuario es función de las auxiliares de Enfermería. Por su parte, el celador servirá de ascensorista cuando se le asigne especialmente ese cometido o las necesidades del servicio lo requieran. Asimismo, tendrá a su cargo la vigilancia nocturna, tanto del interior como del exterior del edificio, del que cuidará de que estén cerradas las puertas de servicios complementarios, y habrá de velar continuamente por conseguir el mayor orden y silencio posible en todas las dependencias de la institución.

4.- Respuesta correcta: C

También será función del celador realizar todas aquellas tareas que le sean encomendadas por sus superiores y que no hayan quedado específicamente reseñadas en los apartados correspondientes a las funciones recogidas en el artículo 14.2 de la Orden de 5 de julio de 1971, del Ministerio de Trabajo, por la que se aprueba el Estatuto de Personal no Sanitario al Servicio de las Instituciones Sanitarias de la Seguridad Social.

5.- Respuesta correcta: C

Son funciones del celador bañar a los enfermos masculinos cuando no puedan hacerlo por sí mismos, siempre de acuerdo con las indicaciones que reciban de las supervisoras de planta o servicio o personas que las sustituyan. Excepcionalmente, lavar y asear a los enfermos masculinos encamados o que no puedan realizarlo por sí mismos, y prestar ayuda a las enfermeras y auxiliares de planta al movimiento y traslado de los enfermos encamados que requieran un trato especial en razón a sus dolencias, para hacerles las camas. No es función del celador, y sí del auxiliar de Enfermería de Quirófano y Esterilización, ayudar al personal de Enfermería en la preparación del material para su esterilización.

6.- Respuesta correcta: B

Es tarea del celador el traslado de las balas de oxígeno y su reposición cuando se agoten, así como tenerlas preparadas para el uso, y se encargará de suministrarla cuando realice el transporte de un paciente en tratamiento con oxigenoterapia.

7.- Respuesta correcta: B

El celador se abstendrá de hacer comentarios con los familiares y visitantes de los enfermos sobre diagnósticos, exploraciones y tratamientos que se estén realizando a los mismos, y mucho menos informar sobre los pronósticos de su enfermedad, debiendo siempre orientar las consultas hacia el médico encargado de la asistencia del enfermo.

8.- Respuesta correcta: B

El celador ayudará a las enfermeras o personas encargadas a amortajar a los enfermos fallecidos, corriendo a su cargo el traslado de los cadáveres al mortuorio.

9.- Respuesta correcta: B

El traslado de los enfermos en el servicio de ambulancia a cargo de los celadores, con algunas limitaciones, se recoge en el Estatuto de Personal no Sanitario: tendrá a su cargo el traslado de los enfermos, tanto dentro de la institución como en el servicio de ambulancias.

10.- Respuesta correcta: D

Según el Estatuto de Personal no Sanitario al Servicio de las Instituciones Sanitarias de la Seguridad Social, el jefe de personal subalterno constatará que el personal de oficio y subalterno cumple el horario establecido en la institución y permanece constantemente en su puesto de trabajo.

11.- Respuesta correcta: B

Mantener el régimen establecido por la Dirección para el acceso de enfermos, visitantes y personal a las distintas dependencias de la institución es función propia del jefe de personal subalterno.

12.- Respuesta correcta: D

El jefe de personal subalterno ejercerá, por delegación del administrador, la jefatura del personal de celadores y ordenará y dirigirá el cumplimiento de su cometido.

13.- Respuesta correcta: C

Los celadores velarán continuamente por conseguir el mayor orden y silencio posible en todas las dependencias de la institución.

14.- Respuesta correcta: A

El celador hará los servicios de guardia que correspondan dentro de los turnos que se establezcan. Excepcionalmente, lavará y aseará a los enfermos masculinos encamados o que no puedan realizarlo por sí mismos. Bañará a los enfermos masculinos cuando no puedan hacerlo por sí mismos, siempre de acuerdo con las indicaciones que reciban de las supervisoras de planta o servicio, o personas que las sustituyan.

15.- Respuesta correcta: D

El celador tendrá a su cargo el traslado de los enfermos, tanto dentro de la institución como en el servicio de ambulancias.

16.- Respuesta correcta: D

El celador se abstendrá de hacer comentarios con los familiares y visitantes de los enfermos sobre diagnósticos, exploraciones y tratamientos que se estén realizando a los mismos, y mucho menos informar sobre los pronósticos de su enfermedad, debiendo siempre orientar las consultas hacia el médico encargado de la asistencia del enfermo.

17.- Respuesta correcta: C

Es función propia del auxiliar de Enfermería contribuir al transporte de los preparados de farmacia y efectos sanitarios siempre que su volumen y su peso no excedan de los límites establecidos en la legislación vigente.

18.- Respuesta correcta: B

Es función del celador tramitar o conducir sin tardanza las comunicaciones verbales, documentos, correspondencias u objetos que le sean confiados por sus superiores.

19.- Respuesta correcta: C

En caso de ausencia del peluquero o por urgencia en el tratamiento, rasurará a los enfermos masculinos que vayan a ser sometidos a intervenciones quirúrgicas en aquellas zonas de su cuerpo que lo requieran.

20.- Respuesta correcta: C

El celador ayudará a las enfermeras o personas encargadas a amortajar a los enfermos fallecidos, corriendo a su cargo el traslado de los cadáveres al mortuorio.

Respuestas y comentarios al cuestionario n.º 2

1.- Respuesta correcta: C

Ayudar al personal de Enfermería en la preparación del material para su esterilización es función del auxiliar de Enfermería.

2.- Respuesta correcta: D

El celador tendrá a su cargo la vigilancia nocturna, tanto del interior como del exterior del edificio, del que cuidará que estén cerradas las puertas de servicios complementarios.

3.- Respuesta correcta: C

De acuerdo con el artículo 14.2 del Estatuto de Personal no Sanitario al Servicio de las Instituciones Sanitarias de la Seguridad Social, los celadores realizarán excepcionalmente aquellas labores de limpieza que se les encomienden cuando su realización por el personal femenino no sea idónea o decorosa en orden a la situación, emplazamiento, dificultad de manejo, peso de los objetos o locales para limpiar.

4.- Respuesta correcta: D

De acuerdo con el artículo 14.1 del Estatuto de Personal no Sanitario al Servicio de las Instituciones Sanitarias de la Seguridad Social, sin perjuicio de las misiones que pueda confiarle el director o administrador de la institución, le corresponde al jefe de personal subalterno constatar que el personal de oficio y subalterno cumple el horario establecido en la institución y permanece constantemente en su puesto de trabajo.

5.- Respuesta correcta: D

Le corresponde al celador velar continuamente por conseguir el mayor orden y silencio posible en todas las dependencias de la institución.

6.- Respuesta correcta: B

El jefe de personal subalterno ejerce, por delegación del administrador, la jefatura del personal de celadores y ordenará y dirigirá el cumplimiento de su cometido. Por tanto, le corresponde a este cuidar de la compostura y aseo del personal a sus órdenes, revisando y exigiendo que vistan el uniforme reglamentario según el artículo 14.1 de la Orden de 5 de julio de 1971, del Ministerio de Trabajo, por el que se aprueba el Estatuto de Personal no Sanitario al Servicio de las Instituciones Sanitarias de la Seguridad Social.

7.- Respuesta correcta: D

Según la Orden de 5 de julio de 1971, del Ministerio de Trabajo, cuando por circunstancias especiales concurrentes en el enfermo no pueda este ser movido solo por la enfermera o ayudante de planta, el celador ayudará en la colocación y retirada de las cuñas para la recogida de excretas de dichos enfermos.

8.- Respuesta correcta: D

El Estatuto de personal no Sanitario al Servicio de las Instituciones Sanitarias de la Seguridad Social establece que el celador rasurará a los enfermos masculinos que vayan a ser sometidos a intervenciones quirúrgicas en aquellas zonas de su cuerpo que lo requieran en caso de ausencia del peluquero o por urgencia en el tratamiento.

9.- Respuesta correcta: C

El sacrificio de los animales se producirá al finalizar un experimento o debido a un exceso de producción tanto en número como en un sexo determinado. Todo método humano de sacrificio de los animales exige conocimientos que solo pueden adquirirse mediante una formación adecuada. El sacrificio se realizará con técnicas diferentes según las necesidades.

10.- Respuesta correcta: D

El celador bañará a los enfermos masculinos cuando no puedan hacerlo por sí mismos, siempre de acuerdo con las indicaciones que reciban de las supervisoras de planta o servicio, o personas que las sustituyan y, excepcionalmente, lavará y aseará a los enfermos masculinos encamados o que no puedan realizarlo por sí mismos.

11.- Respuesta correcta: D

De acuerdo con el artículo 14.1 del Estatuto de Personal no Sanitario al Servicio de las Instituciones Sanitarias de la Seguridad Social, le corresponde al jefe de personal subalterno la ejecución de una serie de funciones, sin perjuicio de las misiones que pueda confiarle el director o administrador de la Institución.

12.- Respuesta correcta: D

Los celadores tendrán a su cargo el traslado de los enfermos, tanto dentro de la institución como en el servicio de ambulancias.

13.- Respuesta correcta: A

El celador vigilará el acceso y estancia de los familiares y visitantes en las habitaciones de los enfermos, no permitiendo la entrada más que a las personas autorizadas, cuidando de que no introduzcan en las instituciones más que aquellos paquetes expresamente autorizados por la Dirección.

14.- Respuesta correcta: A

Para el traslado de muebles, equipos y material, el celador se personará en la unidad peticionaria una vez recibida la solicitud de traslado y efectuará el porte. Una vez realizado el traspaso, pedirá conformidad del mismo.

15.- Respuesta correcta: B

El celador es responsable del enfermo mientras lo transporta. Cuando traslade a un paciente a la consulta del médico, tiene la obligación de permanecer junto a él hasta que la persona de la consulta se haga cargo del enfermo. Igualmente será responsable, durante el traslado, de la custodia y conservación de la historia clínica que le haya entregado el personal de Enfermería.

16.- Respuesta correcta: D

El celador es el personal estatutario encargado de distribuir la producción de documentación y los pequeños objetos que a lo largo del día deben ser enviados a las distintas unidades que conforman el centro asistencial. Debe hacerlo con rapidez, diligencia, orden y seguridad, adoptando las medidas adecuadas para que los documentos u objetos confiados lleguen a su destino sin deterioro.

17.- Respuesta correcta: C

Es función del jefe de personal subalterno la vigilancia personal de la limpieza de la institución.

18.- Respuesta correcta: D

El celador recibe y ofrecer ayuda a los enfermos que acuden al Servicio de Urgencias en ambulancias, vehículos particulares y ambulantes, transportar a los pacientes en sillas de ruedas, camillas y camas, y facilita información general, si así se lo solicitan, a enfermos y familiares acerca de la ubicación de la sala de de espera, los aseos o del Servicio de Admisión de Urgencias, pero nunca información sanitaria ni administrativa.

19.- Respuesta correcta: C

En el supuesto de que se produjesen alteraciones del orden o surgiesen conflictos con un visitante o intruso, el celador requerirá la presencia del servicio de seguridad, que es el servicio responsable de la protección de personas y bienes.

20.- Respuesta correcta: A

En los quirófanos auxiliarán en todas aquellas labores propias del celador destinado en estos servicios, así como en las que les sean ordenadas por los médicos, supervisoras o enfermeras.

21.- Respuesta correcta: B

Un quirófano es todo local o sala convenientemente adaptado para realizar operaciones quirúrgicas.

22.- Respuesta correcta: A

El trato del celador con los enfermos, familiares y visitantes debe ser de respeto y cortesía, atención y amabilidad. La desatención al público constituye una falta leve; la falta de respeto tiene la consideración de falta grave; y los malos tratamientos de palabra, falta muy grave.

23.- Respuesta correcta: C

Dará cuenta a sus inmediatos superiores de los desperfectos o anomalías que encontrare en la limpieza y conservación del edificio o material.

24.- Respuesta correcta: C

En todo transporte de pacientes, el celador verificará la identificación del enfermo, así como que la documentación que le hayan entregado corresponda al mismo.

25.- Respuesta correcta: D

El celador ayudará a la práctica de autopsias en aquellas funciones auxiliares que no requieran por su parte hacer uso de instrumental alguno sobre el cadáver. Limpiarán la mesa de autopsias y la propia sala.

26.- Respuesta correcta: C

Según el Estatuto de Personal no Sanitario al Servicio de las Instituciones Sanitarias de la Seguridad Social, el celador vigilará el acceso y estancia de los familiares y visitantes en las habitaciones de los enfermos, no permitiendo la entrada más que a las personas autorizadas, cuidando de que no introduzcan en las instituciones más que aquellos paquetes expresamente autorizados por la dirección.

27.- Respuesta correcta: A

El celador bañará a los enfermos masculinos cuando no puedan hacerlo por sí mismos, siempre de acuerdo con las indicaciones que reciban de las supervisoras de planta o servicio, o personas que las sustituyan.

28.- Respuesta correcta: D

El celador se abstendrá de hacer comentarios con los familiares y visitantes de los enfermos sobre diagnósticos, exploraciones y tratamientos que se estén realizando a los mismos, y mucho menos informar sobre los pronósticos de su enfermedad, debiendo siempre orientar las consultas hacia el médico encargado de la asistencia del enfermo.

29.- Respuesta correcta: A

El jefe de personal subalterno constatará que el personal de oficio y subalterno cumple el horario establecido en la institución y permanece constantemente en su puesto de trabajo.

30.- Respuesta correcta: A

El celador ayudará a la práctica de autopsias en aquellas funciones auxiliares que no requieran por su parte hacer uso de instrumental alguno sobre el cadáver. Acabada la autopsia, limpiarán la mesa de autopsias y la propia sala.

Respuestas y comentarios al cuestionario n.º 3

1.- Respuesta correcta: C

De acuerdo con el artículo 14.1 del Estatuto de Personal no Sanitario al Servicio de las Instituciones Sanitarias de la Seguridad Social, le corresponde al jefe de personal subalterno constatar que el personal de oficio y subalterno cumple el horario establecido en la institución y permanece constantemente en su puesto de trabajo.

2.- Respuesta correcta: B

El celador vigilará el comportamiento de los enfermos y de los visitantes, evitando que estos últimos fumen en las habitaciones, traigan alimentos o se sienten en las camas y, en general, toda aquella acción que perjudique al propio enfermo o al orden de la institución. Cuidará, asimismo de que los visitantes no deambulen por los pasillos y dependencias más de lo necesario para llegar al lugar donde concretamente se dirijan. Podrán facilitar información general, si así se lo solicitan, a enfermos y familiares acerca de la ubicación de la sala de de espera, los aseos o del Servicio de Admisión de Urgencias, pero nunca información sanitaria ni administrativa.

3.- Respuesta correcta: D

El auxiliar de Enfermería es el profesional responsable del aseo y limpieza del paciente; no obstante, cuando la situación del paciente lo requiera, el auxiliar de Enfermería ayudará al personal auxiliar sanitario titulado en la realización del aseo y limpieza (artículo 75 del Estatuto de Personal Sanitario No Facultativo de la Seguridad Social).

4.- Respuesta correcta: A

Según el artículo 77 del Estatuto de Personal Sanitario no Facultativo de la Seguridad Social, Orden del Ministerio de Trabajo de 26 de abril de 1973, el auxiliar de Enfermería, en el departamento de Tocología, tiene como función pasar a las camas a las parturientas, ayudadas por el personal de Enfermería.

5.- Respuesta correcta: D

El celador colaborará en tareas de apoyo en las intervenciones de enfermería dirigidas no solo a las funciones propias de una unidad de hospitalización general, sino también las encaminadas a fomentar el autocuidado y la autosuficiencia del enfermo ingresado temporalmente en estas Unidades de Hospitalización Psiquiátrica de Agudos, ayudándole a integrarse dentro de su entorno o en otros recursos. La empatía, por ejemplo, es una de las cualidades principales mejor valoradas en el personal sanitario. El celador, además de prevenir conductas de riesgo, deberá extinguir las conductas intolerables: conductas sexuales aberrantes, exhibicionismo, vestidos o maquillajes ridículos, agresividad, violencia, situándose en un plano sanitario, no moralizante.

6.- Respuesta correcta: C

El celador se abstendrá de hacer comentarios con los familiares y visitantes de los enfermos sobre diagnósticos, exploraciones y tratamientos que se estén realizando a los mismos, y mucho menos informar sobre los pronósticos de su enfermedad, debiendo siempre orientar las consultas hacia el médico encargado de la asistencia del enfermo.

7.- Respuesta correcta: D

El celador ayudará a las enfermeras o personas encargadas a amortajar a los enfermos fallecidos, corriendo a su cargo el traslado de los cadáveres al mortuorio.

8.- Respuesta correcta: D

El celador tendrá a su cargo el traslado de los enfermos, tanto dentro de la institución como en el servicio de ambulancias, pero no su limpieza interior, que es labor del conductor de la ambulancia.

9.- Respuesta correcta: C

El celador no es personal sanitario. Por tanto, nunca realizará actividades que tengan carácter profesional sanitario.

10.- Respuesta correcta: B

Cuando se trata de las ambulancias asistenciales destinadas a prestar soporte vital básico, al menos, deberá contar con un conductor, otra persona con formación adecuada, un médico y ATS/DUE, ambos con capacitaciones demostrables en transporte asistido, técnicas de reanimación y técnicas de soporte vital avanzado.

11.- Respuesta correcta: D

El orden correcto de colocación de prendas protectoras en medida antiséptica es: lavado de manos higiénico, calzas, gorro, mascarilla, gafas protectoras o pantalla protectora si se precisa, bata y guantes.

12.- Respuesta correcta: D

El celador en la realización de sus funciones estatutarias deberá adoptar las medidas previstas a fin de evitar o disminuir los riesgos de un contagio. En general, todos los trabajadores sanitarios deben utilizar medios de protección en forma de barrera para evitar la exposición de la piel y de las mucosas a la sangre y a los distintos fluidos corporales de los pacientes.

13.- Respuesta correcta: B

El lavado quirúrgico es una técnica que tiene una duración mínima de 5 minutos. Se utiliza por cirujanos, anestesistas y, en general, por el personal sanitario antes de participar en una intervención quirúrgica o antes de realizar otras maniobras o procedimientos que requieran un alto grado de asepsia.

14.- Respuesta correcta: D

El procedimiento de lavado higiénico o rutinario es: abrir el grifo y mojar abundantemente las manos; aplicar con el dosificador *una sola dosis* de gel dermatológico/jabón líquido; extender el jabón frotando por toda la superficie de las manos, con especial atención a los pliegues interdigitales y contorno de las uñas; aclarar abundantemente hasta eliminar completamente los restos de jabón; secar con toalla de papel por *aplicación* (papel desechable), dando pequeños golpes en la piel, esto es, sin deslizar el papel sobre la piel, hasta que las manos queden completamente secas; y, por último, cerrar el grifo con el papel de manos, evitando cualquier contacto de los dedos con el grifo.

15.- Respuesta correcta: D

Los riesgos biológicos derivan de la manipulación del paciente o muestras contaminadas, contacto con sangre, riesgos de pinchazos o cortes y peligro de salpicaduras de material orgánico.

16.- Respuesta correcta: D

Son precauciones universales la vacunación (inmunización activa) y el cumplimiento de las normas de higiene personal, la esterilización y desinfección correcta de objetos e instrumentos, el uso adecuado de los elementos de protección de barrera y la precaución de evitar pinchazos, cortes o erosiones con material contaminado.

17.- Respuesta correcta: D

El celador ayudará a las enfermeras o personas encargadas a amortajar a los enfermos fallecidos, corriendo a su cargo el traslado de los cadáveres al mortuorio, asimismo ayudará a la práctica de autopsias en aquellas funciones auxiliares que no requieran por su parte hacer uso de instrumental alguno sobre el cadáver. Limpiarán la mesa de autopsias y la propia sala.

18.- Respuesta correcta: A

En todo momento, mientras dura el amortajamiento, el celador seguirá las instrucciones e indicaciones de la enfermera o personas encargadas de realizar el amortajamiento. Se lava y se viste el cuerpo con un camisón o una bata limpia. Se peinan los cabellos. Se asegura al menos una almohada bajo la cabeza y los hombros para impedir que la sangre se estanque en la cara y, si la familia desea ver el cuerpo antes de su traslado al mortuorio, se les procurará un ambiente tranquilo e íntimo.

19.- Respuesta correcta: A

El amortajamiento, la preparación del cadáver para el sepulcro, es conocido como uno de los cuidados post mórtem, y deberá realizarse en la mayor intimidad posible y antes de que aparezca la rigidez cadavérica, entre 15 minutos a 7 horas después de la muerte.

20.- Respuesta correcta: D

La comunicación es fuente de interrelaciones personales. Con su actitud, el personal sanitario y no sanitario que presta sus servicios en las instituciones sanitarias puede promover actitudes positivas en el paciente que le ayude a afrontar su proceso de enfermedad más favorablemente. Por regla general, el paciente necesita un encuentro con un profesional dispuesto a ser honesto con él, que muestre interés por las necesidades que tiene y los desajustes que percibe en relación a lo que espera de la asistencia. La necesidad de buscar el bien de los pacientes prima por encima de cualquier otro concepto. Así, el grupo de cuidadores: médico, enfermero, auxiliar de Enfermería, celador..., están enfocados a mejorar la calidad de vida y reducir el impacto de la enfermedad, tanto en los pacientes como en sus familiares y cuidadores implicados, trabajan para ayudar, en lo posible, a otras personas que lo necesitan y en la línea de lograr las más altas cotas de humanización en el trabajo y en la asistencia. Se desprende, pues, que el personal sanitario es capaz de ayudar al paciente sin proyectar sus preocupaciones en él, sino ayudándole a tomar conciencia de su proceso de enfermedad como medida para afrontar la situación de pérdida de salud.

21.- Respuesta correcta: A

La relación de ayuda es un proceso de interacción e influencia social cuyo objetivo es la curación del enfermo. En el contexto asistencial se entiende por relación de ayuda la interacción que ocurre entre dos sujetos, uno de los cuales, el "ayudador", tiene el propósito de ayudar de un modo profesional a otro, el "ayudado", que está en una situación de necesidad.

22.- Respuesta correcta: C

Carl Rogers es el autor de la teoría centrada en el cliente. Su teoría del cambio se centra en un tipo específico de relación con otra persona que ayuda a la liberación de las condiciones valiosas que incrementan el autorespeto.

23.- Respuesta correcta: D

Las condiciones (personalizantes) esenciales de la persona que facilita la relación de ayuda son: a) la genuinidad, autenticidad, congruencia, honradez en la comunicación; b) la empatía o comprensión empática; y c) la aceptación positiva e incondicional, respeto y cordialidad.

24.- Respuesta correcta: D

Demostrarle al enfermo el interés por sus problemas de salud y sus consecuencias, manifestar una clara actitud positiva y ofrecer las alternativas más adecuadas para solucionar la situación actual de pérdida de salud son elementos que mejoran la comunicación del enfermo.

25.- Respuesta correcta: A

En los quirófanos el celador auxiliará en todas aquellas labores propias, así como en las que les sean ordenadas por los médicos, supervisoras o enfermeras. Durante una intervención quirúrgica, deberá permanecer en el antequirófano. En la observación de las precauciones establecidas se incluyen medidas como el lavado de manos y la colocación de prendas protectoras (calzas, gorro, mascarilla, bata y guantes), que sirven de barrera en la transmisión de microbios.

26.- Respuesta correcta: A

El celador tendrá a su cargo los animales utilizados en los quirófanos experimentales y laboratorios, a quienes cuidará, alimentándolos, aseándolos y manteniendo limpias las jaulas, tanto antes de ser sometidos a las pruebas experimentales como después de aquellas y siempre bajo las indicaciones que reciban de los médicos, supervisoras o enfermeras que les sustituyan en sus ausencias.

27.- Respuesta correcta: D

Los proveedores son las personas o empresas encargadas de abastecer de todas las mercancías que necesita un almacén para realizar las actividades propias (recepción y almacenamiento de mercancías, control de existencias y distribución de pedidos).

28.- Respuesta correcta: B

Cuando el proveedor hace entrega de la mercancía, el celador almacenero procederá a comprobar, para confirmar que la mercancía se ajusta a la orden de petición de material, que el género descargado en el almacén sea el mismo que figura en el albarán de entrega del proveedor, antes de pasarlo a la firma del encargado o responsable del almacén.

29.- Respuesta correcta: A

Aunque siempre existe un *stock* de seguridad para hacer frente a las demandas urgentes, la gestión de suministros exige un control de existencias próvido que garantice el abastecimiento. Esto normalmente se hace teniendo en cuenta el material inventariado, la demanda de los diferentes productos y los plazos de entrega de los proveedores.

30.- Respuesta correcta: C

Material reutilizable: tras su uso requiere ser tratado (lavados, desinfectados, esterilizados) para volver a ser utilizados de nuevo, por ejemplo, ropa de cama, vestuario laboral, instrumental quirúrgico, etc.

Respuestas y comentarios al cuestionario n.º 4

1.- Respuesta correcta: B

En el Servicio de Admisión, acompañar a los enfermos a las plantas y servicios que les sean asignados, siempre que no sean trasladados en camillas, es una función estatutaria propia del auxiliar de Enfermería (artículo 80 Estatuto de Personal Sanitario no Facultativo de la Seguridad Social).

2.- Respuesta correcta: B

El celador de servicio en la UVI ayudará en todas las tareas propias del celador que les sean ordenadas por los médicos, enfermeras o supervisoras de la Unidad. Trasladará, en su caso, de unos servicios a otros los aparatos o mobiliario que se le indique.

3.- Respuesta correcta: B

Excepcionalmente, el celador lavará y aseará a los enfermos masculinos encamados o que no puedan realizarlo por sí mismos, atendiendo a las indicaciones de las supervisoras de planta o de servicio, o personas que las sustituyan legalmente en sus ausencias.

4.- Respuesta correcta: A

El celador tramitará o conducirá sin tardanza las comunicaciones verbales, documentos, correspondencias u objetos que le sean confiados por sus superiores.

5.- Respuesta correcta: B

En el traslado de las historias clínicas y documentación complementaria desde la unidad hospitalaria correspondiente al Archivo de Historias Clínicas, y viceversa, el celador estará obligado a cumplir el orden de prioridades y los horarios establecidos por el jefe del Archivo Central de Historias Clínicas, el cual fijará la periodicidad en la recogida de las historias clínicas.

6.- Respuesta correcta: B

Ayudar al personal de Enfermería en la preparación del material para su esterilización, en el servicio de quirófano, es función del auxiliar de Enfermería.

7.- Respuesta correcta: D

Agitación psicomotora es un síntoma que puede estar presente en la depresión mayor. Evitar conductas autodestructivas del enfermo hacia sí mismo o la violencia dirigida hacia otros, conservando la calma, es una actitud correcta y profesional por parte del celador. Si la agitación es tan grave que obliga al facultativo a ordenar las maniobras de contención mecánica, debe recordarse que la implicación en la actuación de reducir al paciente debe ser de todo el personal, y no únicamente de los celadores de la unidad.

8.- Respuesta correcta: D

Dar la comida a los enfermos que no puedan hacerlo por sí mismos, salvo en aquellos casos que requieran cuidados especiales, es función del auxiliar de Enfermería.

9.- Respuesta correcta: A

El celador favorecerá el ejercicio físico y acompañará, proporcionando un ambiente de apoyo, disponibilidad y de seguridad, a los enfermos mentales en sus paseos de recreo por las zonas autorizadas.

10.- Respuesta correcta: C

Es función del celador cuidar, al igual que el resto del personal, de que los enfermos no hagan uso indebido de los enseres y ropas de la institución, evitando su deterioro o instruyéndoles en el uso y manejo de las persianas, cortinas y útiles de servicio en general.

11.- Respuesta correcta: A

En el segundo paso (traslado de la cama a la silla de ruedas), el celador deberá colocar la silla de ruedas próxima a los pies de la cama, frenada, con los reposabrazos y la plataforma reposapiés levantados.

12.- Respuesta correcta: A

En caso de ausencia del peluquero o por urgencia en el tratamiento, el celador rasurará a los enfermos masculinos que vayan a ser sometidos a intervenciones quirúrgicas en aquellas zonas de su cuerpo que lo requieran.

13.- Respuesta correcta: A

En la posición de Fowler la cabecera de la cama está elevada hasta formar un ángulo de 45°. El enfermo está semisentado con las rodillas flexionadas y los pies reposando sobre el plano horizontal de la cama. Se utiliza en pacientes con problemas respiratorios o cardíacos, para llevar a cabo exploraciones de cabeza, cuello, ojos, oídos, nariz, garganta y pecho o cuando haya que realizar cambios posturales.

14.- Respuesta correcta: C

En las ambulancias de las instituciones sanitarias deberá asistir un celador, que irá sentado junto al enfermo en el asiento de pasajero habilitado para tal fin en la ambulancia, durante el transporte, y avisará al personal titulado de cualquier anomalía que observe en el enfermo. El celador será el encargado tanto de subir como de bajar al enfermo en camilla de la ambulancia, o de instalarlo cómodamente y sin riesgos en la silla de ruedas a su llegada a los Servicios de Urgencias del hospital, así como de colaborar con el personal asistencial en el traslado del enfermo de la camilla de la ambulancia a la camilla del hospital.

15.- Respuesta correcta: C

La grúa es un elemento auxiliar del que puede valerse el celador para movilizar a pacientes imposibilitados o demasiado pesados con la mayor seguridad y menor riesgo de sufrir lesiones tanto para el paciente como para el personal que realiza las movilizaciones.

16.- Respuesta correcta: C

El farmacéutico de hospital existe en todos los hospitales públicos y privados. Los hospitales con 100 o más camas contarán con Servicio de Farmacia Hospitalaria bajo la titularidad y responsabilidad de un farmacéutico especialista en farmacia hospitalaria. Los hospitales con menos de 100 camas que no deseen establecer servicios farmacéuticos podrán solicitar de las comunidades autónomas autorización para mantener un depósito de medicamentos bajo la supervisión y control de un farmacéutico.

17.- Respuesta correcta: A

Las funciones del celador en el Servicio de Farmacia son: recepción de material (farmacia pesada), transporte de material dentro de la farmacia, distribución de medicación y demás productos de farmacia a las Unidades del hospital (farmacia ligera), transporte de productos desde otras unidades del hospital hasta la farmacia, a lo sumo preparación de alcohol y sueros, controles e inventarios y custodia de la farmacia.

18.- Respuesta correcta: C

Las cajas utilizadas para el transporte, si no se pueden descontaminar de forma adecuada, se destruirán inmediatamente.

19.- Respuesta correcta: C

Animales de experimentación: los animales utilizados o destinados a ser utilizados en los procedimientos.

20.- Respuesta correcta: C

La educación y la formación general; además de las indicadas, también es un fin científico la valoración, detección, regulación o modificación de las condiciones fisiológicas en el hombre, en los animales o en las plantas.

21.- Respuesta correcta: D

Tradicionalmente, las depresiones se han dividido en dos grupos: las *endógenas, psicóticas o fisiológicas* (las que se piensa vienen de dentro del cuerpo, causadas por una alteración biológica) y las *exógenas, reactivas, neuróticas o psicológicas* (las que pueden estar causadas por acontecimientos vitales y problemas interpersonales). Hoy día se piensa que en toda depresión existe una participación biológica y psicosocial.

22.- Respuesta correcta: B

En la depresión las ideas delirantes son concordantes con el estado de ánimo y aparecen de modo secundario, como intentos de explicarse a sí mismo y explicar a los demás su tristeza y desesperación, de encontrarles motivo. Se trata de ideas delirantes cuyo contenido consiste en los temas depresivos típicos de inutilidad e incapacidad personal, ruina, culpa, enfermedad, nihilismo o de ser merecedor de un castigo.

23.- Respuesta correcta: C

La complicación más grave de un episodio depresivo mayor es el suicidio o su tentativa. El 15 % de los sujetos con un trastorno depresivo mayor muere por suicidio. Los momentos de mayor riesgo de suicidio corresponden al comienzo de la enfermedad y, paradójicamente, al momento de la mejoría terapéutica inicial.

24.- Respuesta correcta: C

El orden en asepsia quirúrgica es: lavado de manos higiénico, calzas, gorro, mascarilla, gafas protectoras o pantalla protectora si se precisa, lavado de manos quirúrgico, bata y guantes.

25.- Respuesta correcta: D

El gorro, de tela o papel, se usa en zonas críticas, como quirófano, contacto con pacientes aislados, UCI, quemados, transplantados, inmunodeprimidos, etc.

26.- Respuesta correcta: A

Tener una actitud empática es imaginarse uno en el lugar de la otra persona, sumergirse en el mundo subjetivo del otro, adoptar su marco de referencia y comprender objetivamente sus sentimientos y su conducta, en la medida en que la comunicación verbal y no verbal lo permita. Se trata de conocer cómo siente otra persona y qué está experimentando sin sentir lo mismo que él, sin que exista un contagio de los sentimientos de ambos, pero sabiendo comunicar esa comprensión en la interacción.

27.- Respuesta correcta: D

En muchos hospitales existe la figura del "celador auxiliar de autopsias"; sus funciones son de auxilio y ayuda al personal facultativo que realiza las autopsias. En general auxilia al médico forense durante la autopsia en aquellas funciones que no requieran por su parte hacer uso de instrumental alguno sobre el cadáver y realiza las movilizaciones precisas para que el médico pueda actuar sobre el cuerpo.

28.- Respuesta correcta: D

En los documentos oficiales, incluso en los partes de defunción, es frecuente el uso de la palabra *exitus* para referirse a la muerte del paciente.

29.- Respuesta correcta: D

Para el amortajamiento la cama tiene que estar totalmente horizontal y el cadáver en la posición de decúbito supino

30.- Respuesta correcta: C

La lividez cadavérica es un signo tardío de la muerte, que se caracteriza por la aparición de unas manchas moradas en la parte inferior del cuerpo, como consecuencia de la acumulación de sangre por la acción de la gravedad. Otros signos tardíos son la rigidez cadavérica, los músculos se endurecen y aparece la inflexibilidad del cuerpo, consecuencia de la coagulación del plasma muscular, y la putrefacción, que aparece a las 24-48 horas después de la muerte, y es consecuencia de la desintegración de los tejidos.

Respuestas y comentarios al cuestionario n.º 5

1.- Respuesta correcta: C

El lavado higiénico de manos antes y después de entrar en contacto con los pacientes es una norma básica que deben cumplir los profesionales que realizan cambios posturales y otros movimientos de un paciente sujeto a inmovilidad.

2.- Respuesta correcta: C

El levantamiento y transporte de cargas deberá hacerse sin brusquedades, manteniendo siempre la espalda recta.

3.- Respuesta correcta: A

Cuando en el cumplimiento de sus funciones el celador se disponga a levantar y transportar un objeto considerado en principio como pesado, antes de hacerlo, y para evitar que un sobreesfuerzo pueda producirle una lesión en la espalda, deberá evaluar el trabajo que realizar (calcular el peso, la distancia para recorrer, la dificultad de agarre o la necesidad de pedir ayuda). En caso de ser muy pesado, hay que emplear medios mecánicos siempre que sea posible, empujar la carga en vez de tirar de ella o hacerlo entre varias personas, y utilizar la técnica correcta de elevación y transporte.

4.- Respuesta correcta: B

Decúbito supino es la posición de tumbado horizontalmente sobre la espalda. Las piernas del enfermo están extendidas y sus brazos reposan alineados a lo largo del cuerpo. El plano del cuerpo descansando sobre la espalda es paralelo al plano del suelo.

5.- Respuesta correcta: A

La posición de Sims es la posición intermedia entre el decúbito prono y el decúbito lateral. En esta posición el cuerpo está ligeramente inclinado hacia delante y el brazo inferior se lleva hacia atrás y separado del cuerpo.

6.- Respuesta correcta: A

La posición de Trendelenburg es la posición de decúbito supino en la que el paciente se encuentra con la cabeza mucho más baja que los pies y formando el plano del cuerpo un ángulo de 45° respecto al plano del suelo.

7.- Respuesta correcta: A

La posición anatómica de Morestin es la posición de decúbito supino en la que el paciente se encuentra con la cabeza mucho más elevada que los pies, formando el plano del cuerpo un ángulo de 45° respecto al plano del suelo.

8.- Respuesta correcta: D

La posición de Sims se conoce también como posición semiprona o lateral de seguridad.

9.- Respuesta correcta: D

Las posiciones más frecuentes en la realización de cambios posturales suelen ser las posiciones de decúbito (decúbito supino, decúbito prono y decúbito lateral izquierdo y derecho). En ocasiones también se utiliza la posición de Fowler.

10.- Respuesta correcta: D

Para realizar un sondaje nasogástrico el personal auxiliar y de Enfermería deben colocar al paciente en la posición de Fowler.

11.- Respuesta correcta: C

La posición de decúbito supino, posición de tumbado horizontalmente sobre la espalda, es la posición de elección en la exploración del tórax y abdomen.

12.- Respuesta correcta: D

Para prevenir la aparición de úlceras por presión en zonas corporales que apoyan directamente sobre la superficie del colchón como, por ejemplo, codos y talones, pueden colocarse elementos almohadillados de protección (coderas, taloneras), y almohadas y cojines para aumentar el confort y favorecer la alineación del cuerpo.

13.- Respuesta correcta: D

La operación quirúrgica, llamada *apendicectomía*, que consiste en la extirpación del apéndice inflamado, se realiza con el paciente en decúbito supino.

14.- Respuesta correcta: B

La posición de Fowler es aquella en la que el paciente se encuentra semisentado en la cama, formando un ángulo de 45°. Las piernas del paciente están semiflexionadas por las rodillas y los pies en flexión dorsal.

15.- Respuesta correcta: C

En la posición de Fowler alto o completo (Fowler elevada), el respaldo de la cama se eleva 90°.

16.- Respuesta correcta: A

La posición anatómica indicada en caso de lipotimia es la posición de Trendelenburg: posición de decúbito supino en la que el paciente se encuentra con la cabeza mucho más baja que los pies, formando el plano del cuerpo un ángulo de 45° respecto al plano del suelo.

17.- Respuesta correcta: D

La posición de Morestin se denomina también anti-Trendelenburg o Trendelenburg invertida.

18.- Respuesta correcta: C

La posición de Roser puede utilizarse para realizar intubación endotraqueal.

19.- Respuesta correcta: C

La posición de litotomía también recibe el nombre de posición ginecológica.

20.- Respuesta correcta: C

La posición mahometana se corresponde con la posición del paciente apoyado sobre las rodillas y el pecho, de modo que, con el tronco inclinado hacia delante, sus caderas quedan arriba y la cabeza abajo, descansada sobre los brazos cruzados.

21.- Respuesta correcta: D

La posición genucubital se emplea preferentemente para realizar cirugía anal.

22.- Respuesta correcta: C

La posición de Trendelenburg es la utilizada en la terapéutica quirúrgica de la zona pélvica.

23.- Respuesta correcta: D

La posición de semi-Fowler se emplea, entre otras, para el transporte del enfermo.

24.- Respuesta correcta: A

La posición de sentado o de Fowler alto o completo (90°), se utiliza cuando las secreciones se encuentran acumuladas en los lóbulos pulmonares superiores; la posición de Trendelenburg, cuando las secreciones se encuentran acumuladas en los lóbulos medios; la posición de decúbito lateral izquierdo y derecho, o posición de Sims, cuando las secreciones se encuentran acumuladas en los segmentos laterales; la posición de decúbito supino, cuando las secreciones se encuentran acumuladas en los segmentos anteriores.

25.- Respuesta correcta: A

Al paciente se le colocará en decúbito supino, tumbado horizontalmente sobre la espalda, para realizarse el masaje cardiaco.

26.- Respuesta correcta: D

Los cambios posturales tienen como objetivo prevenir las complicaciones consecuentes a la inmovilidad del paciente en la cama; por ejemplo previenen úlceras por decúbito o presión, previenen problemas vasculares, evitan la aparición de hipotensión ortostática, conserva el tono muscular reduciendo el riesgo de contracturas, evitan infecciones respiratorias, estimulan la eliminación intestinal y el control vesical, y favorecen la comodidad, seguridad y bienestar del paciente, estimulando la autonomía personal.

27.- Respuesta correcta: A

En un plan de cambios posturales la posición prescrita se mantiene durante 2-3 horas como máximo, según el riesgo de cada paciente.

28.- Respuesta correcta: C

Las úlceras por presión se producen por una presión mantenida durante un tiempo sobre los apoyos del cuerpo (prominencias óseas), la suerte de fricciones de la piel sobre la superficie de apoyo y de la presencia continuada de humedad en la piel a consecuencia de no realizar un secado adecuado tras el aseo e higiene corporal del paciente.

29.- Respuesta correcta: A

El estreñimiento es bastante frecuente a causa de la inmovilidad y por la postura en la cama. El personal auxiliar y de Enfermería puede ayudar a corregirlo participando en los cuidados aumentando la ingesta de agua y de bebidas calientes, el control de la alimentación y con los cambios posturales.

30.- Respuesta correcta: C

En la posición de decúbito supino las zonas más susceptibles de aparición de úlceras por presión son: cabeza o nuca, hombros, codos, región sacra y talones.

31.- Respuesta correcta: C

Activa: los ejercicios de movilización son realizados por el propio paciente bajo la supervisión o instrucciones de un fisioterapeuta; pasiva: los ejercicios son realizados por el fisioterapeuta, ya que se trata de enfermos, con limitaciones de movimiento o incapacidad física, que normalmente no pueden hacer el esfuerzo que demanda el ejercicio.

32.- Respuesta correcta: D

Los celadores, una vez que han acomodado al paciente, deberán colocar en su sitio los objetos que hubieran movido en la preparación de la zona para realizar las movilizaciones y procederán a despedirse del paciente mediante la oportuna frase de despedida. Por último, se quitarán los guantes de un solo uso y se lavarán las manos.

33.- Respuesta correcta: C

En la movilización del paciente con ayuda de una sábana, primero hay que colocar al paciente en decúbito lateral, llevándolo a una orilla de la cama. Después se depositará la entremetida sobre el espacio de cama que queda libre y llevaremos al paciente a decúbito supino deslizando la parte de entremetida que queda por estabilizar bajo el paciente.

34.- Respuesta correcta: D

Para entrar en el ascensor, el celador empuja la cama por la cabecera; es decir, primero entra el paciente y después el celador.

35.- Respuesta correcta: D

Para bajar rampas con silla de ruedas, el celador se coloca delante del paciente y camina de espaldas a la pendiente; cuando se desciende, el paciente y el celador miran en la misma dirección.

36.- Respuesta correcta: D

Al realizar el aseo del paciente, el auxiliar de Enfermería debe evaluar la capacidad motora y el estado de salud del paciente, tanto físico como psíquico. El correcto aseo favorece la relación de ayuda, esto es, el auxiliar de Enfermería estimula la comunicación con el paciente para apoyarle emocionalmente.

37.- Respuesta correcta: C

El aseo se realiza en aquellos pacientes que, conservando o no la movilidad, deben permanecer en la cama. Es conveniente que lo realicen dos personas para aumentar la seguridad del paciente y también para disminuir el tiempo empleado. Se realizará el aseo, al menos una vez al día, generalmente por la mañana. La habitación debe tener una temperatura adecuada, entre los 22-24 °C, y no tiene que haber corrientes de aire.

38.- Respuesta correcta: B

El agua para el baño del paciente será templada (alrededor de 35-36 °C), comprobándose la temperatura con un termómetro de agua.

39.- Respuesta correcta: D

La higiene bucal se realiza con más frecuencia en los pacientes inconscientes y siempre que se efectúe la higiene corporal. Se trata de una medida preventiva que se debe fomentar cada vez que el paciente recibe alguna comida.

40.- Respuesta correcta: C

El lavado del cabello del paciente en cama debe realizarse, al menos, una vez por semana, después del aseo general, preferentemente coincidiendo con la higiene diaria del paciente.

Respuestas y comentarios al cuestionario n.º 6

1.- Respuesta correcta: A

En caso de tener que agacharse, flexionar las rodillas pero manteniendo la espalda recta.

2.- Respuesta correcta: A

Para prevenir los riesgos posturales que dan lugar a trastornos del sistema músculo-esquelético, el celador deberá evitar las posturas forzadas que, de forma habitual, llevan asociadas posiciones incómodas y de esfuerzo durante la jornada laboral. Las lesiones dorsolumbares y de extremidades más frecuentes se localizan en hombros, cuello, columna vertebral, brazos y piernas.

3.- Respuesta correcta: C

Decúbito prono es la posición de tumbado horizontalmente sobre el pecho y vientre con la cabeza vuelta hacia un lado. Las piernas permanecerán extendidas y los brazos flexionados a ambos lados de la cabeza, pero también pueden estar alineados a lo largo del cuerpo o llevados por encima de la cabeza. El plano del cuerpo descansando sobre el abdomen es paralelo al plano del suelo.

4.- Respuesta correcta: C

La posición de semisentado en la cama, formando un ángulo de 45° y las piernas del paciente semiflexionadas por las rodillas y los pies en flexión dorsal, se denomina posición de Fowler. La posición de decúbito supino en la que el paciente se encuentra con la cabeza mucho más baja que los pies, formando el plano del cuerpo un ángulo de 45° respecto al plano del suelo, se le denomina posición de Trendelenburg. La posición del paciente apoyado sobre las rodillas y el pecho, de modo que, con el tronco inclinado hacia delante, sus caderas quedan arriba y la cabeza abajo descansada sobre los brazos cruzados, se denomina posición genupectoral o mahometana.

5.- Respuesta correcta: C

La posición de Fowler es la posición de semisentado en la cama con el respaldo elevado 45°. Existen dos variaciones, según la elevación del respaldo de la cama: posición de semi-Fowler, el respaldo se eleva 30°; posición de Fowler alto o completo, el respado se eleva 90°.

6.- Respuesta correcta: C

La posición de Roser es la posición de decúbito supino en la que el paciente se encuentra con la cabeza colgando del extremo superior de la cama.

7.- Respuesta correcta: B

La posición genupectoral o mahometana es la posición del paciente apoyado sobre las rodillas y el pecho, de modo que, con el tronco inclinado hacia delante, sus caderas quedan arriba y la cabeza abajo descansada sobre los brazos cruzados.

8.- Respuesta correcta: C

La posición de Sims es empleada para la administración de enemas.

9.- Respuesta correcta: B

En la exploración de la zona dorsal el paciente es colocado en decúbito prono o ventral.

10.- Respuesta correcta: B

Para facilitar la eliminación de las secreciones en enfermos en estado de inconsciencia, se coloca al paciente en posición de Sims, semiprona o lateral de seguridad.

11.- Respuesta correcta: D

En la posición de semi-Fowler el respaldo de la cama se eleva 30°.

12.- Respuesta correcta: A

La posición de Fowler puede utilizarse en pacientes que presentan enfermedades cardiacas o respiratorias,

13.- Respuesta correcta: B

La posición de Trendelenburg se usa en casos de desmayos, lipotimias, shock hipovolémico, hipotensión arterial severa, etc., para favorecer el riego cerebral.

14.- Respuesta correcta: A

En la posición de Morestin, anti-Trendelenburg o Trendelenburg invertida la cabeza del paciente está mucho más elevada que los pies, formando el plano del cuerpo un ángulo de 45° respecto al plano del suelo.

15.- Respuesta correcta: B

A la posición de Roser también se la conoce como Proetz.

16.- Respuesta correcta: C

La posición de Roser no se utiliza para la higiene corporal del paciente, solo para el aseo y lavado del cabello.

17.- Respuesta correcta: A

La posición anatómica empleada en exploraciones ginecológicas y partos se denomina posición ginecológica o de litotomía.

18.- Respuesta correcta: B

La posición genupectoral o mahometana se emplea preferentemente para realizar exploraciones del recto y ano.

19.- Respuesta correcta: D

Todas las posiciones de decúbito se emplean en fisioterapia respiratoria, así como las posiciones de Fowler, Trendelenburg y Morestin.

20.- Respuesta correcta: D

Los cambios posturales tienen como objetivo prevenir las complicaciones consecuentes a la inmovilidad del paciente en la cama, como las úlceras por presión, mantener la autonomía y la función global del paciente.

21.- Respuesta correcta: D

La prevención de las úlceras por presión comprende una serie de actividades que deben llevarse a cabo con regularidad. Como medidas preventivas se encuentran los cambios posturales, la higiene correcta, y la protección de la piel (eliminación de la fricción y la humedadl) y la vigilancia del estado nutricional del paciente.

22.- Respuesta correcta: D

La dermatomicosis son afecciones de la piel, generalmente contagiosas, de pronóstico benigno, localizadas en la piel, pelos, uñas, etc., ocasionadas por hongos.

23.- Respuesta correcta: A

En la posición de decúbito lateral las zonas más susceptibles de aparición de úlceras por presión son: oreja, costillas, trocánter mayor, rodillas, maléolo (extremidades óseas del tobillo).

24.- Respuesta correcta: B

La necesidad de moverse y mantener una buena postura es una necesidad básica del paciente. El celador interviene a satisfacer esta necesidad ayudando en la realización de cambios posturales.

25.- Respuesta correcta: B

Para bajar rampas con cama o camilla, el celador se coloca a los pies de la cama, delante del paciente, y camina de espaldas a la pendiente; cuando se desciende, el paciente y el celador se miran.

26.- Respuesta correcta: A

Para entrar en el ascensor con una cama o camilla, el celador empuja la cama por la cabecera para entrar al ascensor (primero entra el paciente y después el celador).

27.- Respuesta correcta: B

Para salir del ascensor, el celador empuja la cama por la cabecera caminando de espaldas, de modo que primero sale el celador y después el paciente.

28.- Respuesta correcta: D

La entrada y salida del ascensor con silla de ruedas se efectúa de espaldas. Para entrar en el ascensor, el celador empuja la cama por la cabecera, de modo que primero entra el paciente y después el celador. En el descenso de rampas con cama o camilla, el celador se coloca a los pies de la cama o camilla marchando hacia atrás, de espaldas.

29.- Respuesta correcta: A

Realizaremos en dos pasos el traslado de la cama al sillón de un paciente que puede colaborar. Primer paso: sentaremos al paciente en el borde de la cama; segundo paso: se procederá al traslado de la cama al sillón.

30.- Respuesta correcta: A

Para el traslado de la cama al sillón de un paciente que no puede colaborar, se necesita la colaboración de dos celadores.

31.- Respuesta correcta: A

Con el enfermo sentado en el borde de la cama, el celador, de frente al paciente, situará un pie entre los pies del paciente y el otro fuera. Las rodillas de ambos tienen que estar próximas para impedir que el paciente pueda doblarlas involuntariamente.

32.- Respuesta correcta: D

Para la traslación de un paciente que puede colaborar desde la cama al sillón, una vez sentado en el borde de la cama, el celador pedirá al paciente que se apoye con las manos en sus hombros mientras lo sujeta por la cintura.

33.- Respuesta correcta: C

Para pasar a un enfermo de la cama al sillón, habrá que situar el sillón junto a la cama, paralelo a la misma, con el respaldo próximo a la cabecera de la cama.

34.- Respuesta correcta: B

La camilla, frenada, debe colocarse perpendicular a la cama. Esto es, la cabecera de la camilla tiene que estar tocando los pies de la cama.

35.- Respuesta correcta: B

Higiene se define como la parte de la Medicina que tiene por objeto la conservación de la salud y la prevención de enfermedades. Incluye los procedimientos de higiene y limpieza de la superficie corporal y mucosas externas.

36.- Respuesta correcta: D

El aseo del paciente se inicia por la cara, orejas y cuello; después las extremidades superiores, tórax y axilas, abdomen y extremidades inferiores, y a continuación la región genital.

37.- Respuesta correcta: B

Durante el aseo del paciente en la cama hay que procurar en todo momento proteger la intimidad del paciente, manteniendo la puerta cerrada. La habitación debe tener una temperatura adecuada, entre 22-24 ºC, y no tiene que haber corrientes de aire.

38.- Respuesta correcta: B

Para el aseo de la espalda y las nalgas se coloca al paciente en decúbito lateral, izquierdo o derecho, siempre que no haya contraindicaciones. Se lava la espalda desde la nuca hasta los glúteos.

39.- Respuesta correcta: B

El aseo del paciente se comienza por la cara, las orejas y el cuello. Para la cara, se utiliza solo agua. Para lavar el cuello y las orejas se puede utilizar jabón.

40.- Respuesta correcta: A

La región perineal se lava de arriba hacia abajo y de delante hacia atrás, para evitar la contaminación de los genitales con microbios de la región anal.

Respuestas y comentarios al cuestionario n.º 7

1.- Respuesta correcta: A

Típicamente, un área de quirófano tiene cuatro zonas diferenciadas: a) "zona sin limitación" que suele estar ubicada a la entrada del área quirúrgica y separada por una puerta de acceso; b) "zona de intercambio", donde se encuentran los vestuarios, los despachos y salas de descanso del personal destinado en quirófanos; c) "zona de acceso semilimitado" donde se requiere el uso de ropa quirúrgica, calzado específico para quirófano o calzado común pero cubierto con calzas de plástico y gorro para cubrir el pelo; y d) "zona limitada", que requiere ya el uso de mascarilla y donde se encuentra el antequirófano, el quirófano propiamente dicho y los lavabos prequirúrgicos de manos y brazos.

2.- Respuesta correcta: B

Normalmente, para evitar los riesgos de chispas eléctricas que produzcan explosiones, debido a que los gases liberados se acumulan en la parte baja del piso, en los quirófanos los enchufes suelen estar colocados más altos de 1,5 metros del suelo.

3.- Respuesta correcta: A

La simple presencia de un microbio en el organismo, aun sin provocar daño, constituye el contagio. El resultado de la acción patógena de un microbio sobre el organismo humano constituye la infección. La mayoría de las veces el sistema inmune impide el establecimiento y crecimiento del microorganismo invasor. Se llama premunición el estado de resistencia a cualquier infección de un organismo ya infectado; inmunidad relativa que se establece después que una infección aguda se ha hecho crónica y que dura tanto como el agente infectante permanece en el organismo.

4.- Respuesta correcta: A

Los hongos producen en el hombre enfermedades superficiales (dermatomicosis) y sistémicas (micosis profundas). Los virus causan muchos tipos de enfermedades agudas y crónicas, tales como el resfriado común, la gripe, la viruela, el sarampión o la poliomielitis. Las Rickettsias son un grupo de microbios que son portados por los artrópodos (mosquitos, garrapatas, pulgas, piojos, arañas) y transmitidos al hombre, que producen las rickettsiosis, enfermedades tales como el tifus exantemático. Las bacterias son los microbios responsables de la mayoría de enfermedades infecciosas, por ejemplo, tuberculosis, neumonía, tifus, difteria, etc.

5.- Respuesta correcta: A

Las bacterias que no forman esporas mueren entre los 70 y los 90 ºC. Las bacterias que forman esporas resisten al calor húmedo de 100 ºC, pero mueren a partir de los 120 ºC.

6.- Respuesta correcta: D

Los microbios penetran en el organismo humano por distintas vías: a) por vía digestiva (por la boca, mezclados con el agua o los alimentos); b) por vía respiratoria (por el aire que respiramos); c) por inoculación (por picaduras de insectos), y d) por contacto (tocar objetos que contienen microbios o por infección de heridas).

7.- Respuesta correcta: B

Los virus constan de un núcleo llamado genoma, formado por ADN o ARN, que está rodeado por un cubierta llamada cápside, formada por proteínas.

8.- Respuesta correcta: A

La antisepsia significa "contra la putrefacción", combatida habitualmente a través de productos químicos (DESINFECCIÓN); por el contrario, la asepsia ("sin putrefacción") quiere decir libre de microorganismos patógenos vivos (ESTERILIZACIÓN).

9.- Respuesta correcta: D

La desinfección y la antisepsia se definen como el conjunto de prácticas encaminadas a destruir los microbios patógenos, pero que habitualmente no son esporas bacterianas, o evitar su desarrollo en todos los ambientes, materias o partes en que pueden ser nocivos para la salud, habitualmente mediante la utilización de calor o productos químicos (desinfectantes, antisépticos). La esterilización es un proceso a través del cual se consigue la destrucción de toda forma de vida microbiana, virus, hongos y bacterias, incluidas sus formas esporuladas, altamente resistentes, habitualmente mediante la utilización de calor seco o húmedo.

10.- Respuesta correcta: D

Entre los antisépticos, la povidona yodada (Betadine) es el más utilizado. Tiene efectos bactericida, fungicida y viricida. La clorhexidina al 5 % tiene acción bactericida y se utiliza mucho para la antisepsia de las manos. El óxido mercúrico es un antiséptico que se usa en la conjuntivitis y otros trastornos oculares.

11.- Respuesta correcta: D

A un desinfectante se le pide que tenga un alto poder germicida, un gran poder de penetración, estabilidad, que sea soluble en agua o alcohol, económico, y que no sea tóxico ni tenga un olor desagradable.

12.- Respuesta correcta: B

Se llama bacteriostasis la detención o impedimento del crecimiento bacteriano. A la presencia de bacterias en la orina se le denomina bacteriuria; la destrucción y disolución de bacterias, bacteriólisis; y barbiturismo, a la adicción a cualquiera de los barbitúricos.

13.- Respuesta correcta: D

La desinfección es aplicable a personas, animales, objetos y superficies.

14.- Respuesta correcta: C

A la técnica de desinfección que consiste en introducir instrumentos en una solución desinfectante se le denomina inmersión.

15.- Respuesta correcta: C

El alcohol etílico al 70 % tiene un amplio espectro y una baja toxicidad, buena asociación con otros antisépticos, pero no es compatible con los jabones.

16.- Respuesta correcta: A

El hervido, la pasteurización y el aparato de ultrasonido son algunos de los procedimientos físicos de desinfección. El hervido consiste en sumergir el objeto que se quiere desinfectar en agua a temperatura de ebullición (100 ºC) durante un tiempo. La pasteurización es una técnica que se emplea en la industria y consiste en calentar el producto durante 30 minutos a una temperatura de 68 ºC, para luego enfriarlo rápidamente. El aparato de ultrasonido utiliza ondas ultrasónicas para la destrucción de gérmenes.

17.- Respuesta correcta: B

La clorhexidina al 5 % es incompatible con el mercurocromo, puede provocar absorción de yodo.

18.- Respuesta correcta: C

Tanto la desinfección concomitante, la realizada mientras el paciente permanece en la habitación de aislamiento, como la desinfección final, cuando termina el periodo de aislamiento, deben realizarse de manera rigurosa con el fin de evitar la propagación de los microbios infecciosos y para que no se transmita la enfermedad contagiosa a personas sanas.

19.- Respuesta correcta: B

La pasteurización es una técnica que se emplea en la industria y consiste en calentar el producto durante 30 minutos a una temperatura de 68 ºC, para luego enfriarlo rápidamente.

20.- Respuesta correcta: B

La limpieza es un procedimiento físico-químico dirigido a eliminar el material adherido y, por lo tanto, ajeno a aquellos instrumentos u objetos que se pretende limpiar.

21.- Respuesta correcta: A

En la limpieza mecánica del material sanitario en máquinas de lavado automáticas, la temperatura del agua no debe sobrepasar los 50 ºC. para que no se coagulen las proteínas de los restos orgánicos.

22.- Respuesta correcta: B

La asepsia está relacionada con la utilización de medidas dirigidas a impedir el establecimiento de cualquier tipo de microbio en objetos y materiales.

23.- Respuesta correcta: D

La esterilización es un proceso a través del cual se consigue la destrucción de toda forma de vida microbiana, virus, hongos y bacterias, incluidas sus formas esporuladas, altamente resistentes, habitualmente mediante la utilización de calor seco o húmedo. Un objeto esterilizado es un objeto aséptico. La esterilización garantiza las condiciones de asepsia de los diversos materiales clínicos hasta su siguiente uso.

24.- Respuesta correcta: C

La cámara de esterilización por óxido de etileno es un método químico de esterilización que no consiste en hacer sumergir el material para esterilizar en una solución desinfectante y mantenerlo cubierto durante horas, sino que esteriliza por la acción del óxido de etileno que destruye la vida microbiana mediante un proceso conocido como *alquilación o* sustitución de un átomo activo de hidrógeno por un radical alquilo obtenido de un hidrocarburo alifático que pierde un átomo de hidrógeno en un compuesto orgánico.

25.- Respuesta correcta: A

Las radiaciones gamma esterilizan mediante la emisión de neutrones materiales de goma, tejidos humanos, medicamentos, bisturís, catéteres para uso intravenoso, etc.

26.- Respuesta correcta: A

Los objetos a esterilizar tienen que ser resistente al calor. Se puede esterilizar en la autoclave todos los instrumentos de metal, materiales de vidrio, textiles y algunos tipos de goma dura.

27.- Respuesta correcta: C

Los envoltorios o paquetes con el material para esterilizar en la autoclave son de un tipo de papel especial que permite la entrada del vapor e incorpora unas tiras reactivas para el control químico, y que se sellan en la máquina selladora para su esterilización.

28.- Respuesta correcta: D

El uso de la cámara de esterilización por formaldehído no está extendido. El producto es tóxico y muy irritante, corrosivo y cancerígeno. Se ha empleado para esterilizar material de grandes dimensiones. Actualmente se prefiere utilizar el glutaraldehído alcalino 2 % para esterilizar endoscopios y material pequeño. El deterioro del equipo es leve. Sin embargo el glutaraldehído alcalino 2 % es tóxico e irritante y es necesario utilizarlo en recipientes cerrados, y esteriliza si el material se mantiene sumergido al menos 10 horas. Debe aclararse previo a su uso.

29.- Respuesta correcta: D

En el control biológico se utilizan esporas encerradas en tubos de vidrio o cápsulas selladas y también tiras de papel inoculado con esporas y se someten al proceso de esterilización junto con los paquetes para esterilizar.

30.- Respuesta correcta: B

El óxido de etileno es un gas explosivo que debe emplearse con gases inertes.

31.- Respuesta correcta: A

La Bacillus subtilis es utilizada mucho en el control de la esterilización con óxido de etileno. La Clostridium y Sporosarcina son baciláceas, familia de bacterias de forma bacilar o cocácea, grampositivas y productoras de endosporas. No se utilizan como controladores de esterilización. La Colecistoquinina es una hormona que contrae la vesícula biliar. Secretada por la mucosa intestinal superior.

32.- Respuesta correcta: D

Para esterilizar vidrio se puede emplear tanto la estufa de Poupinel como la autoclave.

33.- Respuesta correcta: C

El óxido de etileno es un gas tóxico fundamentalmente por vía cutánea y respiratoria.

34.- Respuesta correcta: B

El glutaraldehído alcalino 2 %, se utiliza para esterilizar endoscopios y material pequeño. El deterioro del equipo es leve. El glutaraldehído alcalino 2 % es tóxico e irritante y es necesario utilizarlo en recipientes cerrados. Esteriliza si el material se mantiene sumergido al menos 10 horas.

35.- Respuesta correcta: B

La prueba Bowie y Dick es de uso diario. Pero no es una prueba de control de esterilidad, sino de eficacia.

36.- Respuesta correcta: B

La Bacillus stearothermophilus es utilizada mucho en el control biológico de la esterilización por vapor de agua a presión.

37.- Respuesta correcta: C

Los objetos para esterilizar tienen que ser resistentes al calor. Se pueden esterilizar en la autoclave todos los instrumentos de metal, materiales de vidrio, textiles y algunos tipos de goma dura. El único inconveniente es que deteriora el metal, oxidándolo, y además estropea los filos del instrumental.

38.- Respuesta correcta: A

El óxido de etileno puede emplearse mezclado con gases inertes como el dióxido de carbono o freón, en una proporción de 80 a 90 % de gas inerte y de 10 a 20 % de óxido de etileno.

39.- Respuesta correcta: A

Para esterilizar vidrio, porcelana e instrumental metálico, materiales que resisten altas temperaturas (hasta 200 ºC), el horno de Pasteur o estufa de Poupinel es un método adecuado; también para la esterilización de productos farmacológicos en polvo, aceites, parafinas y grasas.

40.- Respuesta correcta: C

Las esporas que suelen utilizarse son la Bacillus subtilis en el control de la esterilización con óxido de etileno.

41.- Respuesta correcta: A

En la autoclave, la temperatura oscila entre los 121 ºC y los 134 ºC mediante inyección de vapor saturado y seco a presión durante 5-30 minutos de exposición, según los casos.

42.- Respuesta correcta: C

El empaquetado puede realizarse en papel, material textil o plástico tipo polietileno, pero nunca poliéster, aluminio o nailon.

43.- Respuesta correcta: C

Se debe esterilizar todo el instrumental clínico que haya de tener contacto con el interior del organismo.

44.- Respuesta correcta: A

El óxido de etileno tiene, no obstante, un gran poder de penetración en todo tipo de materiales, que no deteriora, pero su acción depende del control de cuatro variables: a) la concentración del gas, b) la temperatura, c) la humedad relativa en el interior de la cámara y d) el tiempo de exposición.

45.- Respuesta correcta: C

En la esterilización por óxido de etileno, tanto en un ciclo caliente como en un ciclo frío el tiempo de aireación suele ser, al menos, de 12 horas.

46.- Respuesta correcta: B

La humedad relativa en el interior de la cámara de esterilización por óxido de etileno debe ser proporcional a la temperatura: a mayor temperatura, mayor contenido en vapor de agua.

47.- Respuesta correcta: C

La humedad relativa debe ser de 30 al 60 % para temperaturas de 30 y 60 ºC.

48.- Respuesta correcta: B

Una vez que el material esterilizado se encuentra en planta, transportado en contenedores herméticos o en pequeñas bolsas de plástico, el personal encargado de su almacenamiento extraerá los envoltorios del recipiente y comprobará que los paquetes estén intactos, así como las etiquetas de caducidad. No deberá aceptarse ningún envoltorio sin etiqueta de caducidad, o ilegible, deteriorado, arrugado, mojado o abierto. Los paquetes tendrán que ser almacenados en armarios o vitrinas cerradas y colocados por orden de caducidad, de modo que al fondo de los estantes irán ubicados los paquetes de fecha más tardía, para evitar caducidades. Normalmente, el material esterilizado almacenado en planta debe ser utilizado en 24-48 horas.

49.- Respuesta correcta: C

La luz ultravioleta se utiliza en el medio hospitalario para acondicionar el aire y para mantener la esterilización del instrumental que se guarda en vitrinas cerradas. Su eficacia está comprobada pero siempre que el aire está libre de polvo, pues las radiaciones ultravioletas tienen poco poder de penetración.

50.- Respuesta correcta: C

En los hospitales existe una comisión de infecciones, que es el máximo responsable de controlar las infecciones en el hospital. Los hospitales de mayor riesgo generalmente son los universitarios y los de referencia. Los servicios más sensibles a estas infecciones son las unidades de cuidados intensivos, cirugía, quemados, neonatos y hemodiálisis.

Respuestas y comentarios al cuestionario n.º 8

1.- Respuesta correcta: C

A un hospital se puede acudir por indicación del médico de Atención Primaria, de un médico especialista, por remisión desde un centro de salud y por iniciativa propia a través de urgencias, bien para ser atendido en una consulta externa, para una intervención de cirugía menor ambulatoria o para ser tratado de un problema urgente de salud, aunque no siempre implica internamiento. El Servicio de Admisión del hospital regula los ingresos programados en los diferentes servicios de hospitalización, controla el acceso a las consultas externas, las peticiones ambulantes y la cirugía ambulatoria, constituyendo la vía principal para demandar asistencia sanitaria por parte del usuario.

2.- Respuesta correcta: D

El recibimiento corresponde al personal de Enfermería. La atención personalizada es altamente recomendable y beneficiosa para la persona enferma y su familia. No obstante el celador, al igual que el resto del personal, transmitirá en todo momento una imagen de seriedad, educación y limpieza.

3.- Respuesta correcta: A

Los ingresos urgentes son aquellos que se producen a través del Servicio de Urgencias. Los ingresos programados son los que se producen a través del Servicio de Admisión de pacientes. Los intrahospitalarios, si el paciente procede de otra unidad del hospital. Los ingresos derivados de otros hospitales, si el paciente procede de otro hospital, por ejemplo, de un hospital de agudos a un hospital de larga estancia.

4.- Respuesta correcta: B

En la hospitalización a domicilio el usuario recibe en su propio hogar cuidados de enfermería, estando al mismo tiempo controlado médicamente. La asistencia domiciliaria, más volcada en la prevención de la salud, consiste en atender las necesidades que el usuario o la familia no pueden llevar a cabo sin ayuda, tal como labores domésticas, movilización de enfermos o permanencia en el hogar mientras están ausentes los familiares. Los hospitales de día ofrecen cuidados físicos y psíquicos durante el día, acudiendo por la noche el usuario a su casa a pasar la noche. Los centros de cuidados mínimos constituyen un apoyo a la labor hospitalaria. Disponen de camas para pacientes crónicos y cuidados paliativos. El término sociosanitario está referido a los centros geriátricos que ofrecen estos cuidados.

5.- Respuesta correcta: B

Los músculos producen trabajo mecánico; cuando se realiza un ejercicio físico la fibra muscular se contrae y en el interior de la misma se producen complicadas reacciones químicas que dan como resultado la producción de una fuerza. Los músculos reciben mayor cantidad de sangre y oxígeno que en estado de reposo y queman gran cantidad de glucosa y de grasa, produciendo mucho calor.

En el interior del músculo se forman también ciertas sustancias de desecho, especialmente anhídrido carbónico y ácido láctico, que normalmente se eliminan a través de la sangre. Pero cuando el ejercicio muscular es excesivo, no pueden eliminarse con la misma rapidez con que se forman y se afectan las terminaciones nerviosas que existen en los músculos, por lo que aparece la fatiga por acumulación de ácido láctico. La fatiga disminuye con el reposo, el masaje y la aplicación de calor.

6.- Respuesta correcta: D

Las principales funciones de los músculos son: producir el movimiento; producir calor y energía; revestir el esqueleto y dar forma al cuerpo humano.

7.- Respuesta correcta: A

La posición de decúbito supino o dorsal es la actitud en que se coloca un enfermo espontáneamente cuando se encuentra en la cama, y en ella suele permanecer la mayor parte de su tiempo.

8.- Respuesta correcta: A

La posición de decúbito supino se emplea en la exploración y cirugía de cara o cuello.

9.- Respuesta correcta: B

La posición anatómica indicada en caso de lipotimia es la posición de Trendelenburg, posición de decúbito supino en la que el paciente se encuentra con la cabeza mucho más baja que los pies, lo que permite un mayor aporte sanguíneo cerebral.

10.- Respuesta correcta: C

La posición de Morestin, Trendelenburg invertida o anti-Trendelenburg, donde el paciente está en decúbito supino, pero la cabeza está mucho más elevada que los pies, formando el plano del cuerpo un ángulo de 45° respecto al plano del suelo, se utiliza en cirugía de cabeza, del diafragma, y de la cavidad abdominal superior, y también en algunas operaciones del cuello, por ejemplo, bocio.

11.- Respuesta correcta: A

La posición de Trendelenburg se utiliza en la cirugía pélvica, porque facilita la visión del campo operatorio al provocar el descenso del paquete intestinal hacia el diafragma.

12.- Respuesta correcta: D

Pueden colocarse almohadas o cojines bajo las plantas de los pies u otros accesorios que mantengan una posición correcta y eviten una flexión plantar prolongada (equinismo).

13.- Respuesta correcta: C

La entrada y salida del ascensor con silla de ruedas se efectúa de espaldas. Entrará primero el celador tirando de la silla hacia atrás y una vez dentro le dará la vuelta a la silla para salir nuevamente de espaldas.

14.- Respuesta correcta: D

El celador realizará lavado higiénico de manos al comienzo y al final de la jornada de trabajo, antes y después de tomar alimentos, después de manipular objetos o material sucio, después de usar el WC, después de estornudar, toser o sanarse la nariz, después de usar guantes y, en general, antes y después de entrar en contacto con cada paciente.

15.- Respuesta correcta: A

El orden de colocación de prendas protectoras en medida antiséptica es: lavado de manos higiénico, calzas, gorro, mascarilla, bata y guantes.

16.- Respuesta correcta: C

Las mascarillas protegen de la inhalación de microbios y no permiten el paso de microorganismos al ambiente. Filtran el aire inspirado y espirado. Si se humedecen se retirarán inmediatamente, una mascarilla mojada pierde su capacidad de barrera, ni deben usarse más de 2 horas seguidas, pues pierden eficacia.

17.- Respuesta correcta: A

El orden de colocación de la bata es, una vez realizado el lavado de manos higiénico y puesto las calzas: 1) gorro, 2) mascarilla, 3) gafas protectoras o pantalla protectora si se precisa, 4) colocación de bata, y por último, 5) colocación de guantes.

18.- Respuesta correcta: D

Las calzas cubren y protegen el calzado de contacto con microbios en intervención quirúrgica, aislamiento en pacientes infecciosos o inmunodeprimidos, visitas a enfermos críticos y, en general, en todas las situaciones que requieren asepsia.

19.- Respuesta correcta: D

Los guantes desechables, de látex o de vinilo, ofrecen las mismas garantías como medidas de protección contra las infecciones nosocomiales.

20.- Respuesta correcta: C

En toda relación de ayuda se requiere no solo que el "ayudador" posea las actitudes de comprensión empática, congruencia, aceptación positiva e incondicional, u otras habilidades necesarias para producir el cambio, sino que debe comunicarlas y deben ser percibidas por el "ayudado". El tipo de percepción que el paciente tenga de la relación de ayuda es el mejor predictor del cambio constructivo que experimentará el enfermo.

21.- Respuesta correcta: D

El objetivo fundamental que se persigue en la Unidad de Cuidados Paliativos es promover la máxima calidad de vida y autonomía a los enfermos y a su entorno familiar, el control de los síntomas que estos presentan, y la atención integral, individualizada y continuada de la persona en el final de la vida y sus familias, con intención de conseguir la máxima calidad de vida, humanización y dignidad, atendiendo a sus necesidades físicas, psicológicas, sociales y espirituales.

22.- Respuesta correcta: A

A veces los profesionales sanitarios se encuentran con que existe un desfase entre las necesidades de información del paciente, que quiere ser informado de los aspectos negativos que pudieran aparecer en el transcurso de su enfermedad, y la percibida por sus seres queridos, que desean ocultarle información o transmitirle información no real para aminorar los efectos emocionales de conocer la gravedad de la situación. El *pacto de silencio* se define como el acuerdo, explícito o no, de alterar la información al paciente por parte de los miembros de la familia, allegados y amigos, con el fin de ocultar información sobre diagnóstico, pronóstico o de cualquier otra índole relativa a la gravedad de la situación real.

23.- Respuesta correcta: D

En la institución sanitaria debe primar el trato humano personal en la prestación de servicios. La atención sanitaria es antes que nada una relación de dos personas: una que busca la atención y el cuidado de su salud, y otra que lo dispensa. Es vital que esta sea una relación de afecto, confianza y eficacia. En este contexto, el Celador no debe realizar juicios de valores.

24.- Respuesta correcta: B

La escucha activa no consiste únicamente en mostrarse atento al contenido del lenguaje del otro, sino en atender a los sentimientos que el otro nos quiere hacer transmitir a través de sus mensajes, lenguaje verbal y no verbal (silencios, mímica, gestos, miradas...). La escucha activa implica estar en silencio mientras se escucha, mantener un contacto visual adecuado, tener una actitud y postura de disponibilidad, sin dar la sensación de tensión o de tener prisa, y devolver señales inequívocas de que se está entendiendo y comprendiendo, sin juzgar, lo que intenta expresarnos la otra persona, demostrando que se vive intensamente el momento presente y que se está estableciendo el *rapport* o atmósfera de confianza, respeto y aceptación mutuos.

25.- Respuesta correcta: C

Aceptación positiva e incondicional significa aceptar al otro sin condiciones como una persona única y valiosa, e implica la aceptación completa del otro con un juicio correcto acerca del valor objetivo de su personalidad y de sus actos. No se trata, por tanto, de aprobación sin más, sino ausencia de juicio y de evaluación crítica, y aceptar la realidad del otro como una existencia única e irrepetible en cuanto a sus sentimientos, ideas, emociones y su forma de sentir y estar en el mundo.

26.- Respuesta correcta: D

La manía es el cuadro opuesto a la depresión. En vez de tristeza, alegría patológica. En lugar de apatía, aumento de la actividad intencionada, ya sea social, laboral, estudios o sexual, o agitación psicomotora. Cursa en fases, es decir, con episodios de enfermedad intercalados entre periodos en que el sujeto recupera su normalidad, totalmente libre de síntomas. En ambas se conservan las facultades intelectuales, que no se deterioran pese a la repetición de las fases. Se destaca en la persona maníaca la autoestima exagerada, la grandiosidad.

27.- Respuesta correcta: B

Al contrario que en las depresiones, el inicio de los síntomas maníacos suele ser brusco, con un aumento rápido de los síntomas en pocos días; suelen durar semanas o meses, pero son más breves y con un final más brusco que los episodios depresivos.

28.- Respuesta correcta: C

En general, el trastorno de ansiedad no requiere hospitalización. Los síntomas suelen tratarse con benzodiacepinas. Sin embargo, la ansiedad está presente en muchos trastornos físicos y psicológicos. Un ejemplo de la importancia de la ansiedad es que en los infartos de miocardio el mejor predictor de si la persona volverá a tener un infarto, es el nivel de ansiedad que ha sentido en ese primer ataque.

29.- Respuesta correcta: C

La característica fundamental de la anorexia nerviosa es un miedo intenso a engordar o ganar peso, y rechazo a mantener un peso corporal mínimo normal. La mayoría de las personas anoréxicas siguen viéndose gordas a pesar de su delgadez. Algunas, por el contrario, aunque reconocen estar delgadas siguen percibiendo que hay algunas partes de su cuerpo, como abdomen, muslos, glúteos, que están excesivamente gordas. El cerebro de una paciente anoréxica no funciona bien, cuando interpreta que está muy gorda: hace dieta, ejercicio, etc.; esto tiene un efecto sobre el hipotálamo, que no trabaja como antes y reduce su ingestión calórica. Requiere hospitalización cuando la paciente tiene problemas orgánicos importantes, como desnutrición severa con pérdida de peso muy brusca, más del 20 % en un periodo de seis meses, desequilibrio electrolítico consecuente de la pérdida de peso, así como si existen situaciones familiares conflictivas, o si existen síntomas depresivos con riesgo de suicidio.

30.- Respuesta correcta: D

Los vínculos sociales, la integración social y las relaciones interpersonales han sido considerados como un elemento central en la calidad de vida individual. En general, los pacientes con esquizofrenia tienden a descuidar su apariencia y sus hábitos de limpieza; no sienten ningún deseo por mantener relaciones sociales, no toman parte en una conversación y pueden negarse a hablar durante días. Pueden sentirse extraños en el mundo, incluso en el seno familiar: se sienten aislados, apartados, ignorados. Por lo general, muestran un abierto desprecio y desinterés por los demás, pueden tener modales rudos, a veces son exquisitos en el trato, y pueden demostrar de otros muchos modos su falta de consideración por la presencia y los sentimientos de los que les rodean. Las personas con esquizofrenia carecen de habilidades de adaptación que son útiles para manejar situaciones estresantes.

31.- Respuesta correcta: C

Ningún síntoma aislado es patognomónico de la esquizofrenia. El diagnóstico implica el reconocimiento de una constelación de signos y síntomas asociados a un deterioro significativo del nivel previo de la actividad social, laboral o del cuidado personal. Muchas personas con esquizofrenia se preocupan tanto por los eventos internos que son incapaces de distinguir entre los datos objetivos del mundo y las imágenes creadas por su fantasía. Habitualmente, la esquizofrenia se inicia antes de los 45 años. Pero también puede empezar después de esa edad, en la década de los 40-50 años, mujeres en su mayoría y con buen pronóstico.

32.- Respuesta correcta: D

En la esquizofrenia las alucinaciones visuales son fragmentadas y poco nítidas; no son frecuentes. Donde las alucinaciones visuales son más corrientes y a menudo son de contenido terrorífico es en el delirio. Los sujetos ven animalillos muy pequeños que ascienden y se arrastran por la cama o animales de tamaño considerablemente grandes.

33.- Respuesta correcta: D

En el cuidado y el bienestar de los animales se registran, al menos, los siguientes aspectos zootécnicos: tamaño de las jaulas; lecho de los animales en las jaulas; alimento/agua; temperatura ambiental y ventilación; ciclos de luz; y comportamiento de los animales.

34.- Respuesta correcta: A

En un animalario, los conejos de experimentación se mantienen en jaulas metálicas horizontales o verticales divididas en habitáculos individuales en los cuales van adaptados los comederos y bebederos.

35.- Respuesta correcta: C

Como cama para los animales en jaulas se empleará la viruta. La viruta posee las siguientes ventajas: un alto poder de absorción, su fácil colocación, su carácter atóxico y su fácil combustión que permite destruirla mediante incineración. Se pondrá especial cuidado en evitar la utilización de serrín u otro material de cama derivado de madera tratada químicamente.

36.- Respuesta correcta: D

El agua a los animales se les proporciona mediante biberones de cristal con tetinas de acero inoxidable colocados sobre la rejilla. Los biberones serán de material transparente para permitir el control de su contenido. Conviene que sean de boca ancha para facilitar su limpieza y, si se utiliza material plástico, no liberarán sustancias solubles. Los biberones y accesorios serán desmontables y se limpiarán y esterilizarán a intervalos regulares. Tapas, tapones y tubos serán esterilizables y de fácil limpieza.

37.- Respuesta correcta: C

Las celdas de alojamiento carecerán de ventanas, lo cual ayuda a mantener una temperatura y una iluminación constantes según la especie. La temperatura interior, conseguida mediante un sistema de aire acondicionado, oscilará entre los 20 y 24 grados. Las condiciones de habitabilidad de las salas hacen imprescindible un sistema eficaz de renovación de aire para evitar los malos olores producidos principalmente por el amoníaco. La renovación del aire se realizará mediante el sistema de aire acondicionado que renueva parcialmente el aire una vez filtrado y purificado.

38.- Respuesta correcta: D

La iluminación es regulada artificialmente mediante un sistema de fotoperíodos con un ciclo luz/oscuridad que oscila entre 12 y 14 horas según la especie. El ciclo luz/oscuridad tiene una gran importancia ya que influye en la propia fisiología de los animales, en especial sobre su función reproductora. Con respecto al sistema reproductivo, este nunca se realiza al azar; se escogen siempre aquellos individuos que presenten unas mejores condiciones y procurando que estos procedan de unidades de cría diferentes con el fin de evitar al máximo la consanguinidad, lo cual produciría una progresiva degeneración. Las unidades de cría son renovadas cada 6 o 7 meses con el fin de evitar el proceso degenerativo que se produce en las crías cuando existe una edad avanzada en los reproductores.

39.- Respuesta correcta: D

El sacrificio de los animales podrá hacerse por: inhalación de éter anestésico; inhalación de anhídrido carbónico en cámara eutanásica; inyección intraperitoneal de pentobarbital sódico; decapitación. Los cadáveres serán almacenados en un arcón congelador hasta su traslado para su posterior incineración. No debe permitirse la eliminación de los cadáveres antes de que sobrevenga el *rigor mortis*.

40.- Respuesta correcta: A

Suministro interno hace referencia al conjunto de tareas encaminadas a facilitar, desde el almacén central, dando salida al género, todo lo necesario a los distintos servicios o unidades del centro sanitario, de la mercancía por ellos demandada para poder llevar a cabo la actividad asistencial.

41.- Respuesta correcta: D

El material no consumible o inventariable son aquellos materiales sanitarios que poseen una vida media larga y no sufren gran deterioro por el uso, por ejemplo, aparatos clínicos, mobiliario, etc.

42.- Respuesta correcta: D

La actividad de un almacén es: recepción de mercancías (el proveedor hace entrega de la mercancía y los almaceneros comprueban que los bultos se ajusten a los que figuran en el albarán de entrega), almacenamiento (de la mercancía siguiendo criterios de organización y clasificación dados por la organización del almacén), control de existencias o *stock* (llevar un control exhaustivo del género depositado, de las entradas y salidas de mercancías) y distribución de pedidos internos.

43.- Respuesta correcta: A

Para el almacenamiento, el celador de almacén colocará la mercancía entrante, una vez triada, en su lugar correspondiente, colocando normalmente los objetos de menor peso y tamaño en baldas de estanterías metálicas a distintos niveles. La mercancía de gran volumen nunca se depositará directamente en el suelo, sino sobre palés, plataformas de tablas de madera que facilitan el transporte, hasta su distribución interna.

44.- Respuesta correcta: B

Material desechable: solo permiten un uso, por ejemplo, guantes de látex, mascarillas, jeringas, agujas, sondas, etc.

45.- Respuesta correcta: D

El objeto de un almacén es la distribución de los pedidos. El almacén central proporciona la mercancía a los distintos servicios o unidades del centro sanitario. Los distintos servicios o unidades realizan sus pedidos en un formulario de petición (hoja de pedido), firmado y fechado por el responsable del servicio o supervisores de planta, donde se reseña la denominación del material, el número de unidades, el código de cada producto y el nombre del servicio o unidad peticionaria, y los celadores de almacén los preparan, debidamente embalados, para su transporte.

46.- Respuesta correcta: B

Los materiable no consumibles o inventariables son aquellos materiales sanitarios que poseen una vida media larga y no sufren gran deterioro por el uso, por ejemplo, aparatos clínicos, ofimática, mobiliario, etc.

47.- Respuesta correcta: B

La necropsia puede ser realizada por imperativo legal, esto es, por decisión judicial y cumplimiento de las leyes vigentes, y la realizará el médico forense, o por interés científico-sanitario, y la realizará el médico patólogo.

48.- Respuesta correcta: C

En la conferencia de Alma-Ata, la OMS fijó como principio fundamental el desarrollo de la Atención Primaria de la salud.

49.- Respuesta correcta: D

La OMS definió en 1946 la salud como el estado de bienestar físico, psíquico y social, y no solo la ausencia de infecciones o enfermedades.

50.- Respuesta correcta: C

La administración de oxígeno puro mantenida por periodos prolongados produce lesiones en cerebro y pulmón. Su uso en estado puro está desaconsejado. Habitualmente se usa en una mezcla gaseosa de aire enriquecido con oxígeno, aproximadamente al 21 por ciento de oxígeno.

51.- Respuesta correcta: A

Las gafas nasales se adaptan perfectamente a las fosas nasales pero tienen el inconveniente de no llevar un dispositivo para regular la concentración de oxígeno y además resecan mucho las mucosas. Los tubos endotraqueales son probablemente la forma más efectiva de administrar oxígeno al paciente, pero también la más invasiva y traumática, pues es necesario insertar un tubo en el interior de la tráquea del paciente. Las balas de oxígeno están provistas de un manómetro que mide la presión del oxígeno en el interior de la bala de acero. Para poder aplicar oxígeno se acciona un caudalímetro, que es una válvula reguladora del flujo de salida del oxígeno por minuto.

52.- Respuesta correcta: C

La cama circoeléctrica se utiliza para politraumatizados y lesiones medulares. Inerte significa "sin vida" y también inmóvil, paralizado, sin posibilidad de movimiento.

53.- Respuesta correcta: A

La cama hospitalaria es articulada y posee un somier con segmentos móviles, uno para la cabeza y la espalda, otro para la pelvis y un tercero para las extremidades inferiores.

54.- Respuesta correcta: A

Las medidas consideradas normales de la cama hospitalaria son: ancho: de 0,80 o 0,90 m; largo: 2 m; y alto (sin colchón) de 0,70 m.

55.- Respuesta correcta: C

El espacio recomendado entre las dos camas es de 1,20 m.

56.- Respuesta correcta: B

La distancia mínima recomendada que debe haber entre la cama hospitalaria y la pared lateral es de 1,10 m.

57.- Respuesta correcta: A

La cama indicada cuando el paciente tiene colocada una tracción, con el fin de resolver fracturas y luxaciones, es la cama ortopédica o de Juder.

58.- Respuesta correcta: B

Los armazones de Foster y de Stryker constan de dos armazones, uno anterior y otro posterior. El paciente puede ser colocado en distintas posiciones gracias a un sistema giratorio.

59.- Respuesta correcta: A

La cama circoeléctrica es el tipo de cama que se utiliza para pacientes politraumatizados y lesiones medulares.

60.- Respuesta correcta: D

Arco de protección: férula de protección que evita roces y presión de la ropa de cama en la piel del paciente; cuñas-tope: su utilidad es mantener la estabilidad del paciente; centinelas de noche: están compuestas por bolsas de polietileno que se ponen en la barandilla de la cama hospitaliaria para tapar los huecos e impedir que los pacientes puedan lesionarse. La cama ortopédica de Juder, para facilitar la movilidad del paciente, lleva incorporado un Marco de Balkan para sujetar las poleas de tracción, que cuelga de él (las cuerdas son de nailon). Todo el equipo de tracción tiene la finalidad de facilitar la alineación del cuerpo y la reeducación y movilización de las extremidades.

Segunda parte

Normativa sanitaria específica

Cuestionario n.º 9

LEY GENERAL DE SANIDAD

1.- La Constitución española de 1978 reconoce el derecho a la protección de la salud. ¿En qué artículo del Título I?

a) Artículo 23.
b) Artículo 33.
c) Artículo 43.
d) Artículo 53.

2.- La Ley General de Sanidad tiene por objeto:

a) Garantizar el derecho a la asistencia sanitaria pública a todos los españoles, en todos los casos de pérdida de salud.
b) La definición universal de los derechos y deberes de ciudadanos y poderes públicos en el ámbito de la salud.
c) La regulación general de todas las acciones que permitan hacer efectivo el derecho a la protección de la salud reconocido en el artículo 43 y concordantes con la Constitución.
d) El mantenimiento de un régimen público de Seguridad Social para todos los ciudadanos que garantice la asistencia y prestaciones sociales suficientes ante situaciones de necesidad, especialmente en caso de desempleo.

3.- Una de las siguientes no es una característica general de la Ley General de Sanidad.

a) Universalización del derecho a la asistencia sanitaria.
b) Descentralización territorial.
c) La condición de la Ley como norma marco.
d) Participación comunitaria.

4.- ¿Por qué la Ley General de Sanidad crea el Sistema Nacional de Salud?

a) Para adecuar la organización y funcionamiento de los servicios de salud a los principios de eficacia, celeridad, economía y flexibilidad de los recursos sanitarios públicos.
b) Para integrar todos los Servicios de Salud públicos en una organización única.
c) Para aproximar la gestión de la asistencia sanitaria al ciudadano.
d) Todas las anteriores son correctas.

5.- La Constitución española afirma que los poderes públicos mantendrán un régimen público de Seguridad Social para todos los ciudadanos. ¿En qué artículo del Título I?

a) Artículo 14.
b) Artículo 27.

c) Artículo 35.
d) Artículo 41.

6.- Con respecto a la estructura de la Ley General de Sanidad (señale la correcta):

a) Consta de 113 artículos, un título preliminar, 7 títulos, 10 disposiciones adicionales, 5 disposiciones transitorias, 2 disposiciones derogatorias y 13 disposiciones finales.
b) Consta de 113 artículos, un título preliminar, 7 títulos, 10 disposiciones adicionales, 5 disposiciones transitorias, 2 disposiciones derogatorias y 15 disposiciones finales.
c) Consta de 113 artículos, un título preliminar, 6 títulos, 10 disposiciones adicionales, 5 disposiciones transitorias, 2 disposiciones derogatorias y 15 disposiciones finales.
d) Consta de 113 artículos, un título preliminar, 7 títulos, 5 disposiciones adicionales, 10 disposiciones transitorias, 2 disposiciones derogatorias y 15 disposiciones finales.

7.- La Ley General de Sanidad es de fecha:

a) 25 de abril de 1985.
b) 14 de abril de 1986.
c) 25 de abril de 1986.
d) 14 de abril de 1985.

8.- Según el artículo 1.2 de la Ley 14/1986, de 25 de abril, General de Sanidad, son titulares del derecho a la protección de la salud y a la atención sanitaria:

a) Todos los españoles y los extranjeros de paso por el territorio nacional.
b) Todos los españoles y los ciudadanos extranjeros que tengan establecida su residencia en el territorio nacional.
c) Son titulares del derecho únicamente los españoles, aunque los extranjeros no residentes en España tendrán garantizado tal derecho en la forma que las leyes y convenios internacionales establezcan.
d) Todas las respuestas anteriores son correctas.

9.- Según el artículo 2 de la Ley 14/1986, de 25 de abril, General de Sanidad, esta Ley tendrá la condición de norma básica en el sentido previsto en el artículo 149.1.16 de la Constitución y será de aplicación a todo el territorio del Estado, excepto:

a) Los artículos 31, apartado 1, letras b) y c), y 57 a 69, que constituirán derecho supletorio en aquellas comunidades autónomas que hayan dictado normas aplicables a la materia que en dichos preceptos se regula.
b) Los artículos referidos a la participación comunitaria a través de las Corporaciones territoriales correspondientes en la formulación de la política sanitaria y el control de su ejecución, y que se entenderán comprendidas las organizaciones empresariales y sindicales, y cuya representación se fijará en cada comunidad autónoma atendiendo a criterios electorales, por periodos no inferiores a cuatro años.
c) Los artículos 10 y 11, de derechos y obligaciones de los ciudadanos con las instituciones y organismos del sistema sanitario, que constituirán derecho supletorio en aquellas comunidades autónomas que hayan dictado normas aplicables a la materia que en dichos preceptos se regula.
d) Ninguna de las respuestas anteriores es correcta.

10.- Según el artículo 2 de la Ley 14/1986, de 25 de abril, General de Sanidad, las comunidades autónomas podrán dictar normas de desarrollo y complementarias de la Ley General de Sanidad:

a) En el ejercicio de las competencias que les atribuyen los correspondientes Estatutos de Autonomía.
b) En el ejercicio de las competencias que les atribuye el Estado.
c) No podrán dictar norma alguna de desarrollo, pero sí complementarias.
d) Las respuestas A y B son correctas.

11.- Según el artículo 3 de la Ley 14/1986, de 25 de abril, General de Sanidad, los medios y actuaciones del sistema sanitario están orientados prioritariamente:

a) A la promoción de la salud y a la curación de las enfermedades.
b) A la promoción de la salud y a la prevención de las enfermedades.
c) A la prevención de la salud y a la curación de las enfermedades.
d) A la curación de las enfermedades y a la rehabilitación funcional y reinserción social del paciente.

12.- Según el artículo 6 de la Ley 14/1986, de 25 de abril, General de Sanidad, una de las siguientes afirmaciones no es cierta:

a) Las actuaciones de las Administraciones públicas sanitarias estarán orientadas a la promoción de la salud.
b) Las actuaciones de las Administraciones públicas sanitarias estarán orientadas a promover el interés individual, familiar y social por la salud mediante la adecuada educación sanitaria de la población.
c) Las actuaciones de las Administraciones públicas sanitarias estarán orientadas a garantizar en cualquier caso la preservación de la vida en todos los casos de pérdida de salud.
d) Las actuaciones de las Administraciones públicas sanitarias estarán orientadas a promover las acciones necesarias para la rehabilitación funcional y reinserción social del paciente.

13.- Uno de los siguientes no es un principio general de la Ley General de Sanidad.

a) Los medios y actuaciones del sistema sanitario estarán orientados prioritariamente a la promoción de la salud y a la prevención de las enfermedades.
b) La política de salud estará orientada a la superación de los desequilibrios territoriales y sociales.
c) Las normas de utilización de los servicios sanitarios serán iguales para todos, independientemente de la condición en que se acceda a los mismos.
d) Las comunidades autónomas crearán sus propios Servicios de Salud únicamente dentro del marco de sus respectivos Estatutos de Autonomía.

14.- Son principios generales de la Ley General de Sanidad:

a) La asistencia sanitaria pública se extiende a toda la población española.
b) Tanto el Estado como las comunidades autónomas y las demás Administraciones públicas organizarán y desarrollarán todas las acciones sanitarias dentro de una concepción integral del sistema sanitario.
c) El acceso y las prestaciones sanitarias se realizarán en condiciones de igualdad comparativa atendiendo a la modalidad de aseguramiento que figure en la tarjeta individual sanitaria.
d) La respuesta A y B son ciertas.

15.- Según el artículo 7 de la Ley 14/1986, de 25 de abril, General de Sanidad, los servicios sanitarios adecuarán su organización y funcionamiento a los principios de:

a) Eficacia, celeridad, economía y flexibilidad.

b) Eficacia, efectividad, celeridad y flexibilidad.
c) Eficacia, celeridad, legalidad y solidaridad.
d) Eficacia, celeridad, economía y racionalidad.

16.- Según el artículo 8 de la Ley 14/1986, de 25 de abril, General de Sanidad, no se considera como actividad fundamental del sistema sanitario:

a) La realización de estudios sociológicos.
b) La planificación y evaluación sanitaria.
c) La prevención y lucha contra la zoonosis.
d) La que pueda incidir sobre el ámbito propio de la Veterinaria de Salud Pública.

17.- Según el artículo 10 de la Ley 14/1986, de 25 de abril, General de Sanidad, todo paciente tiene derecho al respeto de su dignidad, sin que pueda sufrir discriminación por:

a) Razones de sexo y raza.
b) Razones económicas y sociales.
c) Razones ideológicas, político o sindical.
d) Todas las respuestas anteriores son correctas.

18.- No es un derecho de los usuarios de servicios del Sistema Nacional de Salud:

a) Recibir información sobre los servicios sanitarios a los que puede acceder y sobre los requisitos necesarios para su uso.
b) A participar, a través de las instituciones comunitarias, en las actividades sanitarias.
c) A ser atendidos en los servicios especializados hospitalarios, en el marco de su Área de Salud, una vez superadas las posibilidades de diagnóstico y tratamiento de la atención primaria.
d) Responsabilizarse del uso adecuado de las prestaciones ofrecidas por el sistema sanitario, fundamentalmente en lo que se refiere a la utilización de servicios, procedimientos de baja laboral o incapacidad permanente y prestaciones terapéuticas y sociales.

19.- Son derechos de los usuarios del Sistema Nacional de Salud.

a) La confidencialidad de toda la información relacionada con su proceso y con su estancia en instituciones sanitarias públicas y privadas que colaboren con el sistema público.
b) Ser advertido de si los procedimientos de pronóstico, diagnóstico y terapéuticos que se le apliquen pueden ser utilizados en función de un proyecto docente o de investigación, que, en ningún caso, podrá comportar peligro adicional para su salud.
c) La asignación de un médico, que será su interlocutor principal con el equipo asistencial.
d) Todas las respuestas anteriores son correctas.

20.- Según el artículo 11 de la Ley 14/1986, de 25 de abril, General de Sanidad, no serán obligaciones de los ciudadanos con las instituciones y organismos del sistema sanitario.

a) Cumplir las prescripciones generales de naturaleza sanitaria comunes a toda la población, así como las específicas determinadas por los servicios sanitarios.
b) Utilizar las vías de reclamación y de propuesta de sugerencias en los plazos previstos.
c) Cuidar las instalaciones y colaborar en el mantenimiento de la habitabilidad de las instituciones sanitarias.
d) Firmar el documento de alta voluntaria cuando del tratamiento principal no se logren los beneficios esperados.

21.- Según el artículo 12 de la Ley 14/1986, de 25 de abril, General de Sanidad, los poderes públicos orientarán sus políticas de gasto sanitario en orden a corregir:

a) Desigualdades territoriales y garantizar la igualdad de acceso a los servicios sanitarios públicos en todo el territorio español.

b) Desigualdades sanitarias y garantizar la igualdad de acceso a los servicios sanitarios públicos en todo el territorio español.

c) Desigualdades farmacéuticas y garantizar la igualdad de acceso a las prestaciones de los productos terapéuticos precisos en todo el territorio español.

d) Desigualdades de los programas de orientación de la planificación familiar y garantizar la igualdad de acceso a la prestación de los servicios correspondientes en todo el territorio español.

22.- Según el artículo 13 de la Ley 14/1986, de 25 de abril, General de Sanidad, ¿quién aprobará las normas precisas para evitar el intrusismo profesional y la mala práctica?

a) El director general de Recursos Humanos.

b) El Colegio Oficial de Médicos y las Asociaciones profesionales en su ámbito territorial.

c) El Gobierno.

d) Las Consejerías de Sanidad de las comunidades autónomas.

23.- Según el artículo 26 de la Ley 14/1986, de 25 de abril, General de Sanidad, ¿cuándo estará justificado el cierre de una empresa o sus instalaciones, como medida preventiva, por parte de las autoridades sanitarias?

a) Cuando la empresa carezca de la autorización administrativa previa para su funcionamiento.

b) En caso de que exista o se sospeche razonablemente la existencia de información inveraz de la publicidad y propaganda comercial en los productos o servicios que atañe a la salud.

c) En caso de que exista o se sospeche razonablemente la existencia de un riesgo inminente y extraordinario para la salud.

d) Todas las respuestas anteriores son ciertas.

24.- Según el artículo 29 de la Ley 14/1986, de 25 de abril, General de Sanidad, los centros y establecimientos sanitarios precisarán autorización administrativa previa para su instalación y funcionamiento. La previa autorización administrativa se refiere también a las operaciones de calificación, acreditación y registro del establecimiento. Las bases generales sobre calificación, registro y autorización serán establecidas:

a) Por Decreto.

b) Por Real Decreto.

c) Por Orden del Ministerio con competencias en materia de sanidad.

d) Por Reglamentos ordinarios.

25.- Según la Ley 14/1986, de 25 de abril, General de Sanidad, con respecto a las infracciones y sanciones (señale la incorrecta):

a) Las infracciones en materia de sanidad serán objeto de las sanciones administrativas correspondientes.

b) Las infracciones en materia de sanidad serán objeto de una doble sanción por los mismos hechos y en función de los mismos intereses públicos protegidos.

c) Las infracciones se califican como leves, graves y muy graves, atendiendo a los criterios de riesgos para la salud, entre otros.

d) Es constitutivo de infracción leve las simples irregularidades y negligencias en la observación de la normativa sanitaria vigente, sin trascendencia directa para la salud pública.

26.- Según el artículo 32 de la Ley 14/1986, de 25 de abril, General de Sanidad, las infracciones en materia de sanidad que sean constitutivas de delito:

a) Serán objeto de sanción administrativa con independencia de que el proceso se esté instruyendo judicialmente.
b) La administración se abstendrá de seguir el procedimiento sancionador mientras la autoridad judicial no dicte sentencia firme.
c) El expediente administrativo será interrumpido y la Administración pasará el tanto de culpa a la jurisdicción competente.
d) Las respuestas B y C son ciertas.

27.- Según el artículo 35 de la Ley 14/1986, de 25 de abril, General de Sanidad, es considerada una sanción muy grave:

a) Las cometidas por simple negligencia, siempre que la alteración o riesgo sanitario producidos fueren de escasa entidad.
b) La resistencia a suministrar datos, facilitar información o prestar colaboración a las autoridades sanitarias o a sus agentes.
c) La reincidencia en la comisión de faltas graves en los últimos cinco años.
d) La reincidencia en la comisión de infracciones leves, en los últimos tres meses.

28.- Según el artículo 35 de la Ley 14/1986, de 25 de abril, General de Sanidad, las simples irregularidades en la observación de la normativa sanitaria vigente, sin trascendencia directa para la salud pública, es una infracción:

a) Leve.
b) Grave.
c) Muy grave.
d) No tiene la entidad de infracción, sino de amonestación administrativa.

29.- Según el artículo 36 de la Ley 14/1986, de 25 de abril, General de Sanidad, las infracciones en materia de sanidad serán sancionadas con multas económicas. Las cuantías de las sanciones se revisan y actualizan por el Gobierno teniendo en cuenta la variación de los índices de precios para el consumo, mediante:

a) Decreto.
b) Real Decreto.
c) Orden ministerial.
d) Reglamento.

30.- Es una competencia exclusiva de Estado:

a) La sanidad exterior.
b) La higiene.
c) La sanidad agraria.
d) Control sanitario de los alimentos.

31.- No es una competencia exclusiva del Estado:

a) La sanidad exterior.
b) Las relaciones y acuerdos sanitarios internacionales.
c) La gestión del régimen económico de la Seguridad Social.
d) La Alta Inspección en materia de sanidad.

32.- Las comunidades autónomas asumirán en materia de sanidad:

a) Las competencias que el Estado tenga bien delegarle.
b) Las competencias que el Gobierno no se haya reservado expresamente para sí.
c) Las que asuman en sus Estatutos, únicamente.
d) Las competencias asumidas en sus Estatutos y las que el Estado les transfiera o, en su caso, les delegue.

33.- Según el artículo 42 de la Ley 14/1986, de 25 de abril, General de Sanidad, ¿a quién corresponde el control sanitario de la distribución de alimentos?

a) Al Estado.
b) A las comunidades autónomas.
c) A las corporaciones locales.
d) Las respuestas B y C son correctas.

34.- Para el desarrollo de las competencias de las corporaciones locales en materia de sanidad, los Ayuntamientos recabarán el apoyo técnico del personal y medios:

a) De la delegación provincial de sanidad exterior.
b) De los hospitales generales.
c) De las Áreas de Salud.
d) Del Laboratorio de Salud.

35.- Según el artículo 46 de la Ley 14/1986, de 25 de abril, General de Sanidad, son características fundamentales del Sistema Nacional de Salud (señale la incorrecta):

a) La organización adecuada para prestar una atención integral a la salud, comprensiva tanto de la promoción de la salud y prevención de la enfermedad como de la curación y rehabilitación.
b) La coordinación y, en su caso, la integración de todos los recursos sanitarios públicos en un dispositivo único.
c) La promoción de la participación comunitaria en el seno de las áreas de salud.
d) La financiación de las obligaciones derivadas de la Ley General de Sanidad se realizará mediante recursos de las Administraciones públicas, cotizaciones y tasas por la prestación de determinados servicios.

36.- No es una característica fundamental del Sistema Nacional de Salud:

a) La extensión de sus servicios a toda la población.
b) La organización adecuada para prestar una atención integral, comprensiva tanto de la promoción de la salud y prevención de la enfermedad como de la curación y rehabilitación, procurando altos niveles de calidad debidamente evaluados y controlados.
c) La coordinación e integración de todos los recursos sanitarios públicos en un dispositivo único.
d) La financiación general mediante recursos únicos de las Administraciones públicas.

37.- Según el artículo 50 de la Ley 14/1986, de 25 de abril, General de Sanidad, en cada comunidad autónoma se constituirá:

a) Un Servicio de Salud.
b) Un Departamento de Salud.
c) Un Consejo Intraterritorial del Sistema Nacional de Salud de la Comunidad Autónoma.
d) Un centro de salud intracomunitaria.

38.- No es cierto con respecto a los Servicios de Salud de las comunidades autónomas:

a) En cada comunidad autónoma se constituirá un Servicio de Salud integrado por todos los recursos sanitarios existentes en la comunidad, que previamente habrán sido planificados territorialmente.
b) Los servicios de salud que se creen en las comunidades autónomas se planificarán con criterios de racionalización de los recursos, de acuerdo con las necesidades sanitarias de cada territorio. La base de la planificación será la división de todo el territorio en demarcaciones geográficas.
c) La comunidad autónoma garantizará una efectiva participación ciudadana, empresarial y sindical a todos los niveles.
d) Con el fin de articular la participación en el ámbito de las comunidades autónomas, se creará el Consejo Interterritorial del Sistema Nacional de Salud de la comunidad autónoma.

39.- Cada comunidad Autónoma elaborará un Plan de Salud que comprenderá todas las acciones sanitarias necesarias para cumplir los objetivos de sus servicios de salud. El Plan de Salud se ajustará a los criterios generales de coordinación aprobados por:

a) El Gobierno.
b) El Gobierno de la comunidad autónoma.
c) El Consejo Interterritorial del Sistema Nacional de Salud.
d) La Consejería de Sanidad de la comunidad autónoma.

40.- Según el artículo 51 de la Ley 14/1986, de 25 de abril, General de Sanidad, la ordenación territorial de los Servicios de Salud de las comunidades autónomas se basará en la aplicación de:

a) Un concepto preventivo de atención a la salud.
b) Un concepto integrado de atención a la salud.
c) Un concepto no restrictivo de atención a la salud.
d) Un concepto desintegrado de atención a la salud.

41.- La planificación de los Servicios de Salud de las comunidades autónomas tendrá como base:

a) La redistribución de los recursos sanitarios.
b) La división del territorio en demarcaciones geográficas.
c) La disponibilidad económica de la Administración pública.
d) La titularidad pública de los centros y establecimientos sanitarios dependientes de la propia comunidad.

42.- Según el artículo 56 de la Ley 14/1986, de 25 de abril, General de Sanidad, las Áreas de Salud:

a) Son las estructuras fundamentales del sistema sanitario.
b) Extiende su acción a una población no inferior a 200.000 habitantes ni superior a 250.000.
c) Se delimitan teniendo en cuenta factores geográficos, socioeconómicos, demográficos, laborales, epidemiológicos, culturales, climatológicos y de dotación de vías y medios de comunicación, así como las instalaciones sanitarias del área.
d) Todas las respuestas anteriores son ciertas.

43.- Cada provincia tendrá, como mínimo:

a) Un Área de salud.
b) Una zona de salud.
c) Un centro de salud.
d) Un centro de salud de especialidades integrado en una zona de salud.

44.- El Consejo de Salud de Área:

a) Es un órgano colegiado.
b) Es un órgano unitario.
c) Es un órgano de participación de carácter sectorial.
d) Es un órgano provincial.

45.- Los Consejos de Salud de Área (señale la opción incorrecta):

a) Es un órgano colegiado de participación comunitaria para la consulta y el seguimiento de la gestión.
b) Los ciudadanos están representados a través de las corporaciones locales.
c) Los profesionales sanitarios están también representados, únicamente mediante sus respectivos colegios profesionales.
d) Una de sus funciones es proponer medidas para desarrollar en el Área de Salud para estudiar los problemas sanitarios específicos de la misma, así como sus prioridades.

46.- Según el artículo 58 de la Ley 14/1986, de 25 de abril, General de Sanidad, la participación de las corporaciones locales en el Consejo de Salud de Área será del:

a) 40 %.
b) 50 %.
c) 60 %.
d) 70 %.

47.- No es una función del Consejo de Salud de Área:

a) Verificar la adecuación de las actuaciones en el Área de Salud a las normas y directrices de la política sanitaria y económica.
b) Promover la participación comunitaria en el seno del Área de Salud.
c) Proponer medidas para desarrollar en el Área de Salud para estudiar los problemas sanitarios específicos de la misma, así como sus prioridades.
d) La aprobación del proyecto del Plan de Salud del Área.

48.- ¿Quién será responsable de conocer e informar la memoria anual del Área de Salud?

a) El Consejo de Salud de Área.

b) El consejo de Dirección de Área.

c) El gerente de Área.

d) El director general de Política Sanitaria de la Conselleria de Sanidad.

49.- Según el artículo 59 de la Ley 14/1986, de 25 de abril, General de Sanidad, no es cierto que el Consejo de Dirección de Área:

a) Le corresponde formular las directrices en política de salud y controlar la gestión del Área.

b) Está formado por la representación de la comunidad autónoma y los representantes de las corporaciones locales.

c) Los representantes de las corporaciones locales serán los mismos que salieron elegidos para representar el Consejo de Salud de Área.

d) Una de sus funciones es la elaboración del Reglamento del Consejo de Dirección y del Consejo de Salud del Área, dentro de las directrices generales que establezca la comunidad autónoma.

50.- La representación de la comunidad autónoma en el Consejo de Dirección de Área será del:

a) 30 %.

b) 40 %.

c) 50 %.

d) 60 %.

51.- No será una función del Consejo de Dirección de Área:

a) Conocer e informar la memoria anual del Área de Salud.

b) La aprobación de la memoria anual del Área de Salud.

c) El establecimiento de los criterios generales de coordinación en el Área de Salud.

d) La aprobación del anteproyecto y de los ajustes anuales del Plan de Salud del Área.

52.- La aprobación de las prioridades específicas del Área de Salud corresponde:

a) Al gerente del Área.

b) Al Consejo de Salud de Área.

c) Al Consejo de Dirección de Área.

d) Al director general de Política Sanitaria de la Conselleria de Sanidad.

53.- Según el artículo 60 de la Ley 14/1986, de 25 de abril, General de Sanidad, ¿quién es el órgano de gestión del Área de Salud?

a) El gerente del Área de Salud.

b) El director general de la Agencia Valenciana de Salud.

c) El director médico del Área de Salud.

d) El director general económico del Área de Salud.

54.- No es cierto que el gerente del Área de Salud:

a) Se encarga de la ejecución de las directrices establecidas por el Consejo de Dirección, de las propias del Plan de Salud del Área y de las normas correspondientes a la Administración autonómica y del Estado.

b) Presenta los anteproyectos del Plan de Salud y de sus adaptaciones anuales.

c) Presenta proyecto de memoria anual del Área de Salud.

d) Previa convocatoria, asiste a las reuniones del Consejo de Dirección de Área, con voz y voto.

55.- ¿A quién corresponde la propuesta de nombramiento y cese del gerente del Área de Salud?

a) Al Consejo de Salud del Área.

b) Al Consejo de Dirección de Área.

c) La Dirección del Servicio de Salud de la comunidad autónoma.

d) Al consejero de Sanidad.

56.- Según el artículo 62 de la Ley 14/1986, de 25 de abril, General de Sanidad, en la delimitación de las zonas básicas deberán tenerse en cuenta (señale la incorrecta):

a) Las instalaciones y recursos sociales de la zona.

b) El grado de concentración o dispersión de la población.

c) Las características epidemiológicas de la zona.

d) Las distancias máximas de las agrupaciones de población más alejadas de los servicios y el tiempo normal para invertir en su recorrido usando los medios ordinarios.

57.- Las Áreas de Salud se dividen en:

a) Zonas primarias de salud.

b) Zonas básicas de salud.

c) Zonas esenciales de salud.

d) Zonas elementales de salud.

58.- La zona básica de salud es el marco territorial de:

a) La Atención Primaria

b) La Atención Especializada.

c) La asistencia especializada y complementaria.

d) La coordinación general sanitaria de las agrupaciones más alejadas de los centros de salud.

59.- No es cierto con respecto a los centros de salud:

a) Desarrollarán sus actividades sanitarias en las zonas básicas de salud.

b) Desarrollarán mediante el trabajo en equipo únicamente las actividades encaminadas a la promoción de la salud y la prevención de las enfermedades de los habitantes de la zona básica.

c) Se definen como centros integrales de Atención Primaria.

d) Una de sus funciones es mejorar la organización administrativa de la atención de salud en su zona de influencia.

60.- En cada centro de salud existirá:

a) Un Laboratorio de Salud.

b) Un equipo de Atención Primaria.

c) Un equipo de Atención Especializada.

d) Todas las respuestas anteriores son ciertas.

61.- Según el artículo 64 de la Ley 14/1986, de 25 de abril, General de Sanidad, el centro de salud tendrá las siguientes funciones (señale la incorrecta):

a) Albergar los recursos materiales precisos para la realización de las exploraciones complementarias de que se pueda disponer en la zona.
b) Mejorar el control democrático de su gestión en su zona de influencia.
c) Servir como centro de reunión entre la comunidad y los profesionales sanitarios.
d) Facilitar el trabajo en equipo de los profesionales sanitarios de la zona.

62.- Según el artículo 65 de la Ley 14/1986, de 25 de abril, General de Sanidad, cada Área de Salud estará vinculada o dispondrá, al menos, de un hospital general. El hospital es el establecimiento encargado de:

a) El internamiento clínico
b) La asistencia especializada y complementaria.
c) La asistencia de urgencia.
d) Las respuestas A y B son ciertas.

63.- Según el artículo 66 de la Ley 14/1986, de 25 de abril, General de Sanidad (señale la proposición incorrecta):

a) Formará parte de la política sanitaria de todas las Administraciones públicas la creación de una red integrada de hospitales del sector público.
b) Los hospitales generales del sector privado que lo soliciten serán vinculados al Sistema Nacional de Salud, de acuerdo con un protocolo definido, siempre que por sus características sean homologables, cuando las necesidades asistenciales lo justifiquen y si las disponibilidades económicas del sector público lo permitan.
c) El sector privado vinculado no mantendrá la titularidad de centros y establecimientos dependientes del mismo, ni la titularidad de las relaciones laborales del personal que en ellos preste sus servicios.
d) Los protocolos serán objeto de revisión periódica.

64.- Según el artículo 69 de la Ley 14/1986, de 25 de abril, General de Sanidad (señale la proposición incorrecta):

a) En los servicios sanitarios públicos se tenderá hacia la autonomía y control democrático de su gestión, implantando una dirección participativa por objetivos.
b) La evaluación de la calidad de la asistencia prestada deberá ser un proceso continuado que informará todas las actividades del personal de salud y de los servicios sanitarios del Sistema Nacional de Salud.
c) Los médicos y demás profesionales titulados del centro no participarán en los órganos encargados de la evaluación de la calidad asistencial del mismo.
d) La Administración sanitaria establecerá sistemas de evaluación de calidad asistencial oídas las Sociedades científicas sanitarias.

65.- Según el artículo 71 de la Ley 14/1986, de 25 de abril, General de Sanidad, ¿en qué circunstancias los planes de salud conjuntos tendrán que formularse en el seno del Consejo Interterritorial del Sistema Nacional de Salud?

a) Siempre que el Estado y la comunidad autónoma establezcan planes de salud conjuntos.
b) Cuando los criterios generales de coordinación sanitaria elaborados por el Estado no se vean fielmente reflejados en los de los planes de las comunidades autónomas.

c) Cuando los planes conjuntos impliquen a todas las comunidades autónomas.

d) Cuando los Planes de Salud de las comunidades autónomas no propongan una contribución financiera del Estado para su ejecución.

66.- Según la Ley 14/1986, de 25 de abril, General de Sanidad, el Plan Integrado de Salud:

a) Se entenderá definitivamente formulado una vez que tenga conocimiento del mismo el Consejo Interterritorial del Sistema Nacional de Salud.

b) Corresponde al Gobierno la aprobación definitiva del Plan Integrado de Salud.

c) Recoge en un documento único los planes estatales, los planes de las comunidades autónomas y los planes conjuntos.

d) Todas las respuestas anteriores son correctas.

67.- Según la Ley 14/1986, de 25 de abril, General de Sanidad, el Plan Integrado de Salud (señale la incorrecta):

a) El Plan Integrado de Salud deberá tener en cuenta los criterios de coordinación general sanitaria elaborados por el Gobierno.

b) A efectos de la confección, las comunidades autónomas remitirán al Estado los proyectos de planes aprobados por sus órganos competentes en materia sanitaria.

c) Una vez comprobada la adecuación de los Planes de Salud de las comunidades autónomas a los criterios generales de coordinación, el Ministerio de Sanidad y Consumo confeccionará el Plan Integrado de Salud, de forma provisional.

d) Tiene una vigencia de cinco años.

68.- Según el artículo 90 de la Ley 14/1986, de 25 de abril, General de Sanidad, respecto de las entidades sanitarias privadas (señale la proposición incorrecta):

a) Las Administraciones públicas sanitarias, en el ámbito de sus respectivas competencias, podrán establecer conciertos para la prestación de servicios sanitarios con medios ajenos a ellas.

b) A los efectos de establecimiento de conciertos, las Administraciones públicas darán prioridad, cuando existan análogas condiciones de eficacia, calidad y costes, a los establecimientos, centros y servicios sanitarios de los que sean titulares entidades que tengan carácter no lucrativo.

c) Las Administraciones públicas sanitarias no podrán concertar con terceros la prestación de atenciones sanitarias, cuando ello pueda contradecir los objetivos sanitarios, sociales y económicos establecidos en los correspondientes Planes de Salud.

d) Los centros sanitarios susceptibles de ser concertados deberán ser previamente homologados por las Administraciones públicas sanitarias.

69.- Según el artículo 91 de la Ley 14/1986, de 25 de abril, General de Sanidad, señale la proposición incorrecta:

a) Los centros y establecimientos sanitarios, sean o no propiedad de las distintas Administraciones públicas, podrán percibir, con carácter no periódico, subvenciones económicas u otros beneficios o ayudas con cargo a fondos públicos, para la realización de actividades sanitarias calificadas de alto interés social.

b) En ningún caso los fondos públicos para la realización de actividades sanitarias calificadas de alto interés social podrán ser aplicados a la financiación de las actividades ordinarias de funcionamiento del centro o establecimiento al que se le hayan concedido

c) La concesión de estas ayudas no estará sometida a las inspecciones y controles necesarios para comprobar que los fondos públicos han sido aplicados a la realización de la actividad para la que fueron concedidos y que su aplicación ha sido gestionada técnica y económicamente de forma correcta.

d) El Gobierno dictará un Real Decreto para determinar las condiciones mínimas y requisitos mínimos, básicos y comunes, exigibles para que una actividad sanitaria pueda ser calificada de alto interés social, y ser apoyada económicamente con fondos públicos.

70.- Con respecto a la Alta Inspección (señale la incorrecta):

a) La Ley 16/2003, de 28 de mayo, de Cohesión y Calidad del Sistema Nacional de Salud, deroga el artículo 43 (capítulo IV, de la Alta Inspección, Título II) de la Ley 14/1986, de 25 de abril, General de Sanidad.

b) Corresponde al Estado ejercer la Alta Inspección como función de garantía y verificación del cumplimiento de las competencias estatales y de las comunidades autónomas en materia de sanidad y de atención sanitaria del Sistema Nacional de Salud, de acuerdo con lo establecido en la Constitución, en los Estatutos de Autonomía y en las Leyes.

c) El Estado comunicará cualquier incumplimiento por parte de la comunidad autónoma a través del Consejo Interterritorial del Sistema Nacional de Salud.

d) Es una actividad de la Alta Inspección el seguimiento, desde los ámbitos sanitarios, de la lucha contra el fraude en el Sistema Nacional de Salud, tanto en materia de la incapacidad temporal, como de los programas que se puedan promover en relación con áreas identificadas como susceptibles de generar bolsas de fraude en prestaciones o supongan desviaciones de marcada incidencia económica.

71.- Con respecto al Instituto de Salud Carlos III (señale la incorrecta):

a) La Ley 16/2003, de 28 de mayo, de Cohesión y Calidad del Sistema Nacional de Salud, deroga el Título VII (Instituto de Salud Carlos III) de la Ley 14/1986, de 25 de abril, General de Sanidad.

b) Contribuye a la vertebración de los recursos dedicados a la investigación del Sistema Nacional de Salud, mediante la asociación de centros de investigación del Sistema Nacional de Salud y la acreditación de institutos y redes, fomenta y coordina la investigación en biomedicina mediante la realización de investigación básica y aplicada, el impulso de la investigación epidemiológica y en salud pública, acreditación y prospectiva científica y técnica, control sanitario, asesoramiento científico-técnico y formación y educación sanitaria en biomedicina.

c) Tiene la consideración de medio propio instrumental y servicio técnico de la Administración General del Estado y de sus organismos y entidades de derecho público, en las materias que constituyen sus fines.

d) Fomentará el establecimiento de redes de investigación cooperativa, multidisciplinares e inter-institucionales, formadas por los centros o grupos de investigación acreditados.

72.- El Consejo Interterritorial del Sistema Nacional de Salud está integrado por:

a) Representantes de las comunidades autónomas y por representantes de la Administración del Estado.

b) Representantes de las comunidades autónomas y por miembros de las organizaciones empresariales y sindicales más representativas.

c) Representantes de la Administración del Estado, representantes de las comunidades autónomas y por miembros de las organizaciones empresariales y sindicales más representativas.

d) Representantes de las organizaciones empresariales, sindicales y de consumidores y usuarios más representativos.

73.- Señale la proposición incorrecta:

a) La Ley 16/2003, de 28 de mayo, de Cohesión y Calidad del Sistema Nacional de Salud, deroga el artículo 47 (Consejo Interterritorial del Sistema Nacional de Salud) de la Ley 14/1986, de 25 de abril, General de Sanidad.

b) El Consejo Interterritorial del Sistema Nacional de Salud es el órgano permanente de coordinación, cooperación, comunicación e información de los servicios de salud entre ellos y con la Administración del Estado.

c) Tiene como finalidad promover la cohesión del Sistema Nacional de Salud a través de la garantía efectiva y equitativa de los derechos de los ciudadanos en todo el territorio del Estado.

d) El Consejo Interterritorial del Sistema Nacional de Salud elevará anualmente una memoria de las actividades desarrolladas al Congreso de los Diputados.

74.- El Consejo Interterritorial es el principal instrumento de configuración del Sistema Nacional de Salud. Desarrollará funciones de (señale la incorrecta):

a) Asesoramiento, planificación y evaluación en el Sistema Nacional de Salud:

b) Coordinación del Sistema Nacional de Salud:

c) Cooperación entre el Estado y las comunidades autónomas:

d) Legislativa, en el ámbito de las competencias de la Administración sanitaria del Estado.

75.- El Consejo Interterritorial desarrollará las siguientes funciones:

a) El desarrollo de la cartera de servicios correspondiente al Catálogo de Prestaciones del Sistema Nacional de Salud, así como su actualización.

b) El establecimiento de prestaciones sanitarias complementarias a las prestaciones básicas del Sistema Nacional de Salud por parte de las comunidades autónomas.

c) Los servicios de referencia del Sistema Nacional de Salud.

d) Todas las respuestas anteriores son correctas.

Cuestionario n.º 10

Ley 41/2002, de 14 de noviembre, básica reguladora de la autonomía del paciente y de derechos y obligaciones en materia de información y documentación clínica.

1.- La importancia que tienen los derechos de los pacientes como eje básico de las relaciones clínico-asistenciales se pone de manifiesto al constatar el interés que han demostrado por los mismos casi todas las organizaciones internacionales con competencia en la materia. En el ámbito sanitario, en cuanto a los derechos de los pacientes, ¿cuál es el primer instrumento internacional con carácter jurídico vinculante para los países que lo han suscrito?

a) La Declaración Universal de Derechos Humanos, de 1948.
b) La Declaración sobre los Derechos de los Pacientes en Europa, de 1994.
c) El Convenio Europeo sobre los Derechos del Hombre y la Biomedicina, de 1997.
d) La Directiva comunitaria 95/46, de 24 de octubre, sobre los derechos de los ciudadanos a la intimidad en la información.

2.- Según la Ley 41/2002, de 14 de noviembre, básica reguladora de la autonomía del paciente, ¿cuál de las siguientes proposiciones no es correcta?

a) El paciente o usuario tiene derecho a decidir libremente, después de recibir la información adecuada, entre las opciones clínicas disponibles.
b) Todo paciente o usuario tiene derecho a negarse al tratamiento, excepto en los casos determinados en la ley. Su negativa al tratamiento constará por escrito.
c) La persona que elabore o tenga acceso a la información y la documentación clínica está obligada a guardar la reserva debida.
d) Los pacientes o usuarios no tendrán la obligación de facilitar los datos sobre su estado físico o sobre su estado de salud.

3.- Según el artículo 3 de la Ley 41/2002, de 14 de noviembre, básica reguladora de la autonomía del paciente, a efectos de esta Ley, se entiende por usuario:

a) La persona que requiere asistencia sanitaria.
b) La persona que utiliza los servicios sanitarios de educación y promoción de la salud, de prevención de enfermedades y de información sanitaria.
c) La persona que está sometida a cuidados profesionales para el mantenimiento o recuperación de su salud.
d) Las respuestas A y C son correctas.

4.- Según el artículo 4 de la Ley 41/2002, de 14 de noviembre, básica reguladora de la autonomía del paciente, los pacientes tienen derecho a conocer, con motivo de cualquier actuación en el ámbito de su salud, toda la información disponible sobre la misma:

a) Salvo los supuestos exceptuados por la Ley.

b) Además, toda persona tiene derecho a que se respete su voluntad de no ser informada.

c) La información, como regla general, se proporcionará verbalmente.

d) Todas las respuestas son correctas.

5.- Según la Ley 41/2002, de 14 de noviembre, básica reguladora de la autonomía del paciente, el médico responsable del paciente tiene a su cargo coordinar la información y la asistencia sanitaria del paciente. En caso de ausencia de este facultativo:

a) Otro facultativo del equipo asistencial asumirá esta responsabilidad.

b) Esta responsabilidad será asumida únicamente por el adjunto del médico responsable.

c) Un supervisor de Enfermería asumirá las funciones de información.

d) Ningún otro miembro del equipo asistencial puede asumir las responsabilidades de información del médico principal.

6.- Según el artículo 5 de la Ley 41/2002, de 14 de noviembre, básica reguladora de la autonomía del paciente, es cierto respecto al titular del derecho a la información asistencial:

a) El paciente no será informado en caso de incapacidad, cuando por razones subjetivas el conocimiento de su propia situación pueda perjudicar su salud de manera grave.

b) El derecho a la información sanitaria de los pacientes puede limitarse por la existencia acreditada de un estado de necesidad terapéutica.

c) Solo se informará a los familiares cuando haya consentimiento expreso del paciente.

d) Solo se tendrá derecho al acceso a la información epidemiológica cuando implique un riesgo para la salud individual del paciente.

7.- Según el artículo 7 de la Ley 41/2002, de 14 de noviembre, básica reguladora de la autonomía del paciente, toda persona tiene derecho a que se respete el carácter confidencial de los datos referentes a su salud, y a que nadie pueda acceder a ellos sin previa autorización amparada por la Ley. ¿Quién adoptará las medidas oportunas para garantizar estos derechos?

a) Las comunidades autónomas.

b) El Estado.

c) Las corporaciones locales.

d) Los centros sanitarios.

8.- Según el artículo 8 de la Ley 41/2002, de 14 de noviembre, básica reguladora de la autonomía del paciente, se otorgará el consentimiento por escrito en los casos siguientes (señale la respuesta incorrecta):

a) Intervención quirúrgica.

b) Siempre que haya una actuación médica, de cualquier índole.

c) Procedimientos diagnósticos y terapéuticos invasores.

d) En la aplicación de procedimientos que suponen riesgos o inconvenientes de notoria y previsible repercusión negativa sobre la salud del paciente.

9.- Según la Ley 41/2002, de 14 de noviembre, básica reguladora de la autonomía del paciente, el consentimiento informado podrá ser revocado por el paciente:

a) Libremente y por escrito, en cualquier momento.

b) En cualquier momento del procedimiento, debiendo quedar constancia del hecho en el Servicio de Admisión del hospital.

c) En cualquier momento del procedimiento, debiendo quedar constancia en la hoja clínico-administrativa de hospitalización.

d) Libremente y en cualquier momento del procedimiento, bastará con decirlo verbalmente al médico responsable de su caso.

10.- Según el artículo 8 de la Ley 41/2002, de 14 de noviembre, básica reguladora de la autonomía del paciente, la prestación del consentimiento informado, que es un derecho del paciente y su obtención una obligación del médico responsable, debe ser específico para cada intervención diagnóstica o terapéutica que conlleve riesgo relevante para la salud del paciente. ¿El consentimiento informado deberá realizarse siempre por escrito?

a) Sí, siempre.

b) Sí, excepto en los casos de negativa al tratamiento.

c) No, si el médico es de confianza y determina por su cuenta el tratamiento para aplicar al paciente, después de una adecuada información.

d) No, puede ser verbal, siempre que no comporte intervención quirúrgica, procedimientos diagnósticos y terapéuticos invasores.

11.- Según el artículo 9 de la Ley 41/2002, de 14 de noviembre, básica reguladora de la autonomía del paciente, la renuncia del paciente a recibir información está limitada por:

a) El interés de la salud del propio paciente, de terceros, de la colectividad y por las exigencias terapéuticas del caso.

b) El interés de la salud del propio paciente o de terceros, o por las exigencias terapéuticas del caso.

c) El interés de la salud del propio paciente, de terceros o de la colectividad

d) El interés de la salud del propio paciente o por razones motivadas de interés general.

12.- Según el artículo 9 de la Ley 41/2002, de 14 de noviembre, básica reguladora de la autonomía del paciente, ¿los facultativos podrán llevar a cabo las intervenciones clínicas indispensables en favor de la salud del paciente sin contar con su consentimiento?

a) No. Todo profesional que interviene en la actividad asistencial está obligado no solo a la correcta prestación de sus técnicas, sino al cumplimiento de los deberes de información y de documentación clínica, y al respeto de las decisiones adoptadas libre y voluntariamente por el paciente.

b) Sí, únicamente cuando exista una situación de urgencia que no permita demoras por existir el riesgo de lesiones irreversibles o de fallecimiento.

c) Sí, pero solo está limitado en los casos en que la no intervención ponga en serio riesgo a terceros.

d) Sí, cuando existe riesgo para la salud pública a causa de razones sanitarias establecidas por la Ley y cuando existe una situación de urgencia que no permita demoras por existir el riesgo de lesiones irreversibles o de fallecimiento.

13.- Según el artículo 9 de la Ley 41/2002, de 14 de noviembre, básica reguladora de la autonomía del paciente, se otorgará el consentimiento por representación en los siguientes supuestos (señale la respuesta incorrecta):

a) Cuando el paciente no sea capaz de tomar decisiones, a criterio del médico responsable de la asistencia, o su estado físico o psíquico no le permita hacerse cargo de su situación.

b) Cuando el paciente esté incapacitado legalmente.

c) Cuando se trate de menores no incapaces ni incapacitados, pero emancipados o con dieciséis años cumplidos.

d) Cuando el paciente menor de edad no sea capaz intelectual ni emocionalmente de comprender el alcance de la intervención.

14.- Según el artículo 10 de la Ley 41/2002, de 14 de noviembre, básica reguladora de la autonomía del paciente, el médico responsable, antes de recabar el previo consentimiento escrito del paciente, ¿qué contenido de información básica deberá proporcionarle?

a) Las consecuencias relevantes o de importancia que la intervención origina con seguridad.
b) Los riesgos relacionados con las circunstancias personales o profesionales del paciente.
c) Los riesgos probables en condiciones normales, conforme a la experiencia y al estado de la ciencia o directamente relacionados con el tipo de intervención, además de las contraindicaciones.
d) Todas las respuestas anteriores son ciertas.

15.- Según el artículo 11 de la Ley 41/2002, de 14 de noviembre, básica reguladora de la autonomía del paciente, cuando una persona mayor de edad, capaz y libre, manifiesta anticipadamente su voluntad, con objeto de que esta se cumpla en el momento en que llegue a situaciones en cuyas circunstancias no sea capaz de expresarlos personalmente, sobre los cuidados y el tratamiento de su salud o, una vez llegado el fallecimiento, sobre el destino de su cuerpo o de los órganos del mismo, el documento se denomina:

a) Últimas voluntades.
b) Testamento vital.
c) Instrucciones previas.
d) Consentimiento informado.

16.- Según el artículo 11 de la Ley 41/2002, de 14 de noviembre, básica reguladora de la autonomía del paciente, ¿quién regulará el procedimiento adecuado para que, llegado el caso, se garantice el cumplimiento de las instrucciones previas de cada persona, que deberán constar siempre por escrito?

a) Cada Centro de Salud.
b) Cada Servicio de Salud.
c) El Ministerio de Sanidad y Consumo.
d) La Consejería de Sanidad de cada comunidad autónoma.

17.- Según la Ley 41/2002, de 14 de noviembre, básica reguladora de la autonomía del paciente, no es cierto con respecto a la historia clínica:

a) Incorpora la información que se considera trascendental para el conocimiento veraz y actualizado del estado de salud del paciente, dejando constancia de todos los datos que, bajo criterio médico, permitan ese conocimiento.
b) Debe contener suficiente información para identificar al paciente, documentar las circunstancias por las que se acudió a la institución, informar acerca del régimen de financiación, apoyar el diagnóstico, justificar el tratamiento y documentar los resultados obtenidos y las circunstancias del alta.
c) Tiene como fin principal facilitar una asistencia adecuada al paciente; deberá estar escrita a máquina o a mano, claramente legible, evitando, en lo posible, la utilización de símbolos y abreviaturas.
d) Son documentos administrativos que permiten la obtención de información con fines administrativos, estadísticos y de evaluación de la calidad.

18.- Según el artículo 16 de la Ley 41/2002, de 14 de noviembre, básica reguladora de la autonomía del paciente, los profesionales asistenciales del centro que realizan el diagnóstico o el tratamiento

del paciente tienen acceso a la historia clínica de este como instrumento fundamental para su adecuada asistencia. Cada centro sanitario establece los métodos que posibilitan en todo momento el acceso a la historia clínica de cada paciente por los profesionales que le asisten. Para el acceso a la historia clínica con otros fines (por ejemplo, estadísticos, de inspección, evaluación, acreditación y planificación, epidemiológicos, de salud pública, de investigación o de docencia), ¿quién regula el procedimiento para que quede constancia del acceso a la historia clínica y su correspondiente uso?

a) La Administración General y Gestión de los Centros Sanitarios.
b) El Estado, a través del Consejo Interterritorial del Sistema Nacional de Salud.
c) Las comunidades autónomas.
d) El Comité de Bioética Asistencial.

19.- Según el artículo 17 de la Ley 41/2002, de 14 de noviembre, básica reguladora de la autonomía del paciente, ¿quién es responsable de la gestión de la historia clínica?

a) El médico responsable de la atención sanitaria.
b) La Unidad de Admisión y Documentación Clínica.
c) El Servicio de Atención e Información al Paciente.
d) El Archivo Central de Historias Clínicas

20.- Según el artículo 18 de la Ley 41/2002, de 14 de noviembre, básica reguladora de la autonomía del paciente, no es cierto con respecto a los derechos de acceso a la historia clínica:

a) Según la normativa vigente el paciente tiene derecho de acceso al contenido íntegro de su historia clínica.
b) Según la normativa vigente el paciente tiene derecho de acceso al contenido íntegro de su historia clínica, con ciertas limitaciones.
c) El acceso de un tercero a la historia clínica, motivado por un riesgo para su salud, se limitará a los datos pertinentes.
d) El derecho de acceso del paciente a la historia puede ejercerse también por representación debidamente acreditada.

Cuestionario n.º 11

Ley 1/2003, de 28 de enero, de la Generalitat, de Derechos e Información al Paciente de la Comunidad Valenciana.

1.- ¿Qué Ley tiene por objetivo proporcionar una clara definición de los derechos y obligaciones de los pacientes, potenciando a su vez la participación activa de los profesionales y de las instituciones sanitarias para lograr una asistencia, promoción, prevención y rehabilitación cada vez mejores y más humanas, en beneficio de la salud y la calidad de vida de los ciudadanos de la Comunidad Valenciana?

a) La Ley 3/2003, de 6 de febrero, de Ordenación sanitaria de la Comunidad Valenciana.
b) La Ley 41/2002, de 14 de noviembre, básica reguladora de la autonomía del paciente y de derechos y obligaciones en materia de información y documentación clínica.
c) La Ley 1/2003, de 28 de enero, de la Generalitat, de Derechos e Información al Paciente de la Comunidad Valenciana.
d) La Ley 14/1986, de 25 de abril, General de Sanidad.

2.- Según la Ley 1/2003, de Derechos e Información al Paciente de la Comunidad Valenciana, la misma se inspira en:

a) La Declaración Universal de Derechos Humanos.
b) El Convenio Europeo sobre los Derechos del Hombre y la Biomedicina.
c) El Convenio de Oviedo.
d) La Declaración sobre los Derechos de los Pacientes en Europa.

3.- Según la Ley 1/2003, de 28 de enero, de Derechos e Información al Paciente de la Comunidad Valenciana, no es un derecho de los usuarios de servicios del Sistema Sanitario Público:

a) Recibir información sanitaria en la forma más idónea para su comprensión.
b) Decidir libremente entre las opciones clínicas que le presente el médico responsable de su caso, después de recibir una adecuada información.
c) Firmar el documento establecido (alta voluntaria) cuando no desee recibir el tratamiento que se le ha prescrito, especialmente cuando se trate de pruebas diagnósticas, medidas preventivas o tratamientos especialmente relevantes para su salud.
d) Acceder al conocimiento de su historia clínica y a obtener una copia de la misma en las condiciones establecidas por la Conselleria de Sanidad.

4.- Según la Ley 1/2003, de 28 de enero, de Derechos e Información al Paciente de la Comunidad Valenciana, no es una obligación del usuario de la sanidad:

a) Tratar con consideración y respeto a los profesionales que cuidan de su salud y cumplir todas las normas de funcionamiento y convivencia establecidas en cada centro sanitario.

b) Aceptar la tarjeta SIP como documento acreditativo del derecho a la prestación sanitaria en el ámbito de la Comunidad Valenciana.

c) Cumplir las prescripciones de naturaleza sanitaria que con el fin de prevenir riesgos para la salud se establezcan para toda la población por la Conselleria de Sanidad.

d) Aceptar el alta cuando haya finalizado el proceso asistencial.

5.- Son derechos de los usuarios de la sanidad (señale la incorrecta):

a) A no ser sometido a procedimientos diagnósticos o terapéuticos de eficacia no comprobada, salvo si, previamente advertido de sus riesgos y ventajas, da su consentimiento por escrito y siempre de acuerdo con lo legislado para ensayos clínicos.

b) A decidir libremente entre las opciones clínicas que le presente el médico responsable de su caso, después de recibir una adecuada información.

c) A participar, a través de los órganos de participación comunitaria y las organizaciones sociales, en las instituciones sanitarias formando parte de los Consejos de Salud.

d) Facilitar de forma leal y verdadera los datos sobre su estado físico o sobre su salud, así como sus datos de identificación y los necesarios para un mejor proceso asistencial o por razones de interés general.

6.- Son obligaciones de los usuarios de la sanidad (indique la falsa):

a) Hacer buen uso de los recursos y prestaciones asistenciales, así como de los derechos que se le otorgan a través de la Ley de Derechos e Información al Paciente, de acuerdo con lo que su salud necesite y en función de las disponibilidades del sistema sanitario.

b) Hacer uso racional de las prestaciones farmacéuticas y la incapacidad laboral.

c) Dentro de las posibilidades presupuestarias de la Conselleria de Sanidad, obtener una habitación individual para garantizar la mejora del servicio y el derecho a la intimidad y confidencialidad de cada usuario.

d) Utilizar y cuidar las instalaciones y los servicios sanitarios contribuyendo a su conservación y favoreciendo su habitabilidad y el confort de los demás pacientes.

7.- Según el artículo 4 de la Ley 1/2003, de 28 de enero, de Derechos e Información al Paciente de la Comunidad Valenciana, todos los ciudadanos en la Comunidad Valenciana tienen derecho a recibir información general referente al sistema de salud de la Comunidad Valenciana y la específica sobre los servicios y unidades asistenciales disponibles, así como a su forma de acceso. Para facilitar este derecho todos los hospitales públicos valencianos dispondrán de una guía o carta en la que se especifiquen los derechos y deberes de los pacientes, así como las instalaciones, servicios y prestaciones disponibles y las características asistenciales del centro o servicio. Según la Orden de 26 de diciembre de 1989, de la Conselleria de Sanidad, por la que se establece la obligatoriedad de la existencia de la Guía del Usuario en los hospitales públicos, no es cierto al respecto:

a) La carta o guía deberá estar editada en las dos lenguas oficiales de la Comunidad Valenciana.

b) Será entregada a todos los usuarios en el momento del ingreso.

c) La finalidad de la carta o guía es proporcionar información al usuario y a sus familiares sobre reglamentación, estructura, organización, funcionamiento y todos aquellos aspectos que se consideren de interés y que puedan contribuir a facilitar, mejorar y humanizar la estancia en el hospital.

d) La carta o guía informativa para pacientes y familiares irá prologada por una breve Carta de Presentación, firmada por el director médico de hospital o en su defecto por la Dirección del hospital.

8.- Según la Ley 1/2003, de 28 de enero, de Derechos e Información al Paciente de la Comunidad Valenciana, respecto a la información sanitaria en la Comunidad Valenciana (señale la proposición incorrecta):

a) Para facilitar el derecho a recibir información general referente al sistema de salud y la específica sobre los servicios y unidades asistenciales disponibles, todos los centros sanitarios dispondrán de un servicio específico para la información y atención al paciente que, entre otras funciones, orienten al paciente sobre tales servicios y los trámites de acceso a los mismos.

b) La autoridad sanitaria velará por el derecho de los ciudadanos a recibir información sanitaria clara, veraz, relevante, fiable, actualizada, de calidad y basada en evidencia científica, que posibilite el ejercicio autónomo y responsable de la facultad de elección y la participación activa del ciudadano en el mantenimiento o recuperación de su salud.

c) Los ciudadanos tienen derecho a recibir información epidemiológica sobre los problemas más comunes de salud y sobre aquellos conocimientos que fomenten comportamientos y hábitos de vida saludables para el individuo y la comunidad, prevención de las enfermedades y la asunción responsable de la propia salud.

d) La Conselleria de Sanidad informará con carácter anual del análisis epidemiológico de las distintas áreas de salud.

9.- Según el artículo 6 de la Ley 1/2003, de 28 de enero, de Derechos e Información al Paciente de la Comunidad Valenciana, ¿cómo debe transmitirse la información al paciente?

a) Fácilmente comprensible y adecuada a las necesidades y los requerimientos del paciente.

b) Asequible y la que él mismo haya autorizado expresa o tácitamente, según su estado de ánimo o condiciones de salud.

c) Suficiente y apropiada a sus posibilidades intelectivas de comprensión.

d) La necesaria y justa, con el objeto de ayudarle a tomar decisiones de acuerdo con su propia y libre voluntad.

10.- Según el artículo 7 de la Ley 1/2003, de 28 de enero, de Derechos e Información al Paciente de la Comunidad Valenciana, el paciente es el único titular del derecho a la información asistencial (señale la correcta):

a) La información que se dé a sus familiares o persona que le represente legalmente, será la que él previamente haya autorizado por escrito.

b) Cuando a criterio del médico, el paciente esté incapacitado, de manera temporal o permanente, para comprender la información, no se le dará, debiendo informarse a sus familiares, tutores o personas a él allegadas.

c) En el caso de menores, se les dará información adaptada a su grado de madurez y, en todo caso, a los mayores de doce años.

d) A los menores emancipados, el médico responsable habrá de ofrecer toda la información a los padres o tutores que podrán estar presentes durante el acto informativo a los menores.

11.- Según el artículo 7 de la Ley 1/2003, de 28 de enero, de Derechos e Información al Paciente de la Comunidad Valenciana, constituirá una excepción al derecho a la información sanitaria de los enfermos:

a) La existencia acreditada de una necesidad terapéutica.

b) La existencia de un tercero implicado en las consecuencias terapéuticas del caso.

c) El interés de la salud del propio paciente o de terceros, o por razones motivadas de interés general.

d) Todas las respuestas son correctas.

12.- Según el artículo 8 de la Ley 1/2003, de Derechos e Información al Paciente de la Comunidad Valenciana, ¿qué se entiende por consentimiento informado?

a) La aceptación, expresa o tácita, de la información adecuada y comprensible, obtenida con tiempo suficiente, ante cualquier procedimiento que conlleve riesgos relevantes para la salud.
b) La conformidad expresa del paciente, manifestada verbalmente previa la obtención de la información adecuada con tiempo suficiente, ante unos procedimientos que conlleven riesgos relevantes para su salud, y deberá ser inespecífico para cada intervención diagnóstica o terapéutica que conlleve riesgo relevante para la salud del paciente.
c) La conformidad expresa del paciente, manifestada por escrito, previa la obtención de la información adecuada con tiempo suficiente, claramente comprensible para él, ante una intervención quirúrgica, procedimiento diagnóstico o terapéutico invasivo, y deberá ser específico para cada intervención diagnóstica o terapéutica que conlleve riesgo relevante para la salud del paciente.
d) La conformidad expresa del paciente, independientemente de la naturaleza del procedimiento diagnóstico o terapéutico al que se va a someter, realizada a sus familiares y allegados.

13.- Según el artículo 9 de la Ley 1/2003, de 28 de enero, de Derechos e Información al Paciente de la Comunidad Valenciana, ¿cuándo se otorgará el consentimiento por sustitución?

a) Cuando el paciente esté circunstancialmente incapacitado para tomarlas.
b) Cuando el paciente sea menor de edad o se trate de un incapacitado legalmente.
c) En el caso de menores emancipados.
d) Las respuestas A y B son correctas.

14.- Según el artículo 9 de la Ley 1/2003, de 28 de enero, de Derechos e Información al Paciente de la Comunidad Valenciana, cuando el paciente está circunstancialmente incapacitado para tomar decisiones, se otorga el consentimiento por sustitución a los familiares o miembro de unión de hecho, y en su defecto por las personas allegadas. En el caso de los familiares, ¿quién tendrá preferencia según el grado de parentesco?

a) Siempre el familiar de grado más próximo, incluso en los casos de divorcio o separación legal.
b) El cónyuge no separado legalmente.
c) El hijo varón de mayor edad con respecto a la hija primogénita, en caso de separación legal de los cónyuges.
d) En caso de que el paciente esté separado legalmente, aunque tenga descendencia, el hermano de mayor edad, sea hombre o mujer.

15.- Según el artículo 10 de la Ley 1/2003, de 28 de enero, de Derechos e Información al Paciente de la Comunidad Valenciana. ¿Puede un paciente negarse al tratamiento?

a) No puede negarse cuando la no intervención suponga un riesgo para la salud pública.
b) Todo paciente o usuario tiene derecho a negarse al tratamiento.
c) Siempre, especialmente cuando el paciente no esté incapacitado para tomar decisiones.
d) Todas las respuestas anteriores son correctas.

16.- Según el artículo 11 de la Ley 1/2003, de 28 de enero, de Derechos e Información al Paciente de la Comunidad Valenciana, no es cierto con respecto a la información previa al consentimiento:

a) La información deberá ser veraz, comprensible, razonable y suficiente.

b) La información se facilitará con la antelación suficiente para que el paciente pueda reflexionar con calma y decidir libre y responsablemente. En todo caso, al menos doce horas antes del procedimiento correspondiente, siempre que no se trate de actividades urgentes.

c) En ningún caso se facilitará información al paciente cuando esté adormecido ni con sus facultades mentales alteradas, ni tampoco cuando se encuentre ya dentro del quirófano o la sala donde se practicará el acto médico o el diagnóstico.

d) La información deberá incluir, entre otras, la identificación y descripción del procedimiento, los beneficios que se esperan alcanzar, los riesgos frecuentes y las alternativas razonables a dicho procedimiento.

17.- Según el artículo 14 de la Ley 1/2003, de 28 de enero, de Derechos e Información al Paciente de la Comunidad Valenciana, la composición de la Comisión de Consentimiento Informado será determinada mediante:

a) Decreto.
b) Ley Ordinaria.
c) Real Decreto.
d) Decreto-Ley.

18.- Según la Ley 1/2003, de 28 de enero, la Comisión de Consentimiento Informado se reunirá, al menos:

a) Cuatro veces al año, y siempre que lo convoque su presidente.
b) Tres veces al año, y siempre que lo convoque su presidente.
c) Dos veces al año, y siempre que lo convoque su presidente.
d) Tanta veces como estimen necesario, aunque no lo convoque su presidente.

19.- Según la Ley 1/2003, de 28 de enero, a la Comisión de Consentimiento Informado le corresponden las siguientes funciones (señale la incorrecta):
a) Revisión, actualización y publicación periódica de una guía de formularios de referencia de consentimiento informado.
b) Prestar asesoramiento a los órganos de la Conselleria de Educación en las materias relacionadas con sus funciones.
c) Conocimiento de la implantación de los formularios en las distintas instituciones sanitarias.
d) Todas aquellas que le sean atribuidas por normas de carácter legal o reglamentario.

20.- Según el artículo 17 de la Ley 1/2003, de Derechos e Información al Paciente de la Comunidad Valenciana, no es cierto con respecto al Documento de Voluntades Anticipadas:

a) Es el documento mediante el que una persona mayor de edad o menor emancipada, con capacidad legal suficiente y libremente, manifiesta las instrucciones que sobre las actuaciones médicas se deben tener en cuenta cuando se encuentre en una situación en la que las circunstancias que concurran no le permitan expresar libremente su voluntad.
b) La persona interesada puede hacer constar la decisión respecto a la donación de sus órganos con finalidad terapéutica, docente o de investigación.
c) El documento se formalizará únicamente en escritura pública ante notario.
d) El documento deberá ser respetado por los servicios sanitarios y por cuantas personas tengan relación con el autor del mismo.

21.- La Ley 1/2003, de Derechos e Información al Paciente de la Comunidad Valenciana, regula, por primera vez en el ámbito del derecho de los pacientes de la Comunidad a emitir voluntades

anticipadas. ¿Con qué nombre se conoce usualmente el documento que faculta al paciente a anticipar su voluntad sobre la atención clínica que desea recibir en el supuesto de que las circunstancias de su salud no le permitan más adelante decidir por sí mismo?

a) Documento de Voluntades Anticipadas.
b) Testamento vital.
c) Instrucciones previas.
d) Documento de Voluntades Previas.

22.- En el Documento de Voluntades Anticipadas la persona interesada podrá también designar a un representante para que, llegado el caso de no poder expresar por sí misma su voluntad, sirva como interlocutor válido y necesario con el médico o el equipo sanitario para procurar el cumplimiento de las voluntades anticipadas. ¿Quién puede ser representante?

a) El notario autorizador del Documento de Voluntades Anticipadas.
b) Cualquiera de los tres testigos ante los que se formalizó el Documento de Voluntades Anticipadas.
c) Cualquier persona mayor de edad, que no haya sido incapacitada legalmente.
d) Todas las respuestas anteriores son correctas.

23.- Con relación a las instrucciones del Documento de Voluntades Anticipadas. ¿Quién puede ejercer ese derecho?

a) Cualquier persona menor de edad, libremente, puede manifestar las instrucciones que sobre las actuaciones médicas se deben tener en cuenta cuando se encuentre en una situación en la que las circunstancias que concurran no le permitan expresar libremente su voluntad.
b) Cualquier persona mayor de edad, y menores en ningún caso, con capacidad legal suficiente y libremente, puede manifestar las instrucciones que sobre las actuaciones médicas se deben tener en cuenta cuando se encuentre en una situación en la que las circunstancias que concurran no le permitan expresar libremente su voluntad.
c) Cualquier persona menor de edad emancipada, con capacidad legal suficiente y libremente, puede manifestar las instrucciones que sobre las actuaciones médicas se deben tener en cuenta cuando se encuentre en una situación en la que las circunstancias que concurran no le permitan expresar libremente su voluntad.
d) Las respuestas B y C son correctas.

24.- La Orden de 25 de febrero de 2005, de la Conselleria de Sanidad, de desarrollo del Decreto 168/2004, de 10 de septiembre, del Consell de la Generalitat, por el que se regula el Documento de Voluntades Anticipadas y se crea el Registro Centralizado de Voluntades Anticipadas, tiene por objeto determinar los puntos de registro autorizados a efectos de facilitar a los ciudadanos valencianos la inscripción de los documentos de voluntades anticipadas en el Registro Centralizado de Voluntades Anticipadas de la Comunidad Valenciana. No es un punto de registro autorizado para la inscripción del Documento de Voluntades Anticipadas:

a) Los Servicio de Atención e Información al Paciente (SAIP) del hospital.
b) Los servicios centrales de la Conselleria de Sanidad.
c) Las direcciones territoriales de la Conselleria de Sanidad.
d) Las notarías de la Comunidad Valenciana, aunque no dispongan de acceso telemático al Registro Centralizado de Voluntades Anticipadas.

25.- Con respecto al Registro Centralizado de Voluntades Anticipadas de la Comunidad Valenciana (señale la opción incorrecta):

a) El personal encargado del registro comprobará que se reúnen los requisitos previstos en el Decreto 168/2004, de 10 de septiembre, relativos a mayoría de edad, capacidad de obrar y autenticidad de las firmas, realizándose mediante la comprobación de los documentos nacionales de identidad, pasaportes o documentos oficiales que acrediten la identidad. En el supuesto de que el Documento de Voluntades Anticipadas se haya formalizado ante notario, será este el que acredite la autenticidad de la firma con su testimonio.

b) En cada punto de registro autorizado se archivará y custodiará una copia en papel del documento registrado.

c) Son puntos de consulta del registro de voluntades anticipadas, al menos, los Servicios de Atención e Información al Paciente (SAIP) y las Unidades de Cuidados Intensivos de la red hospitalaria del sistema sanitario público valenciano.

d) El Registro Centralizado de Documentos de Voluntades Anticipadas deberá custodiar los documentos inscritos hasta pasados diez años del fallecimiento del otorgante. Transcurrido dicho plazo, se procederá a su destrucción.

26.- Según el artículo 18 de la Ley 1/2003, de 28 de enero, de Derechos e Información al Paciente de la Comunidad Valenciana, todo paciente, familiar o persona vinculada a él, en su caso, tendrá el derecho a recibir del centro o servicio sanitario, una vez finalizado el proceso asistencial, un informe de alta médica. ¿Con qué contenidos mínimos?

a) Un resumen de su historial clínico, la actividad asistencial prestada, el diagnóstico y las recomendaciones terapéuticas.

b) El motivo del ingreso y del alta y las técnicas exploratorias.

c) Los datos de identificación del paciente, un resumen de su historial clínico, la actividad asistencial prestada, el diagnóstico y las recomendaciones terapéuticas.

d) El motivo del ingreso, diagnósticos y las exploraciones realizadas.

27.- Según el artículo 19 de la Ley 1/2003, de 28 de enero, de Derechos e Información al Paciente de la Comunidad Valenciana, los pacientes o, en su caso, personas que pueden recibir el informe de alta (señale la opción incorrecta):

a) Estarán obligados a firmar el alta cuando no acepten el tratamiento prescrito.

b) De negarse a firmar alta voluntaria, la dirección del centro sanitario, a propuesta del médico responsable, podrá ordenar el alta forzosa.

c) Siempre que no se acepte el tratamiento prescrito, dará lugar a un alta forzosa.

d) En el caso de que no se aceptara el alta forzosa, la dirección del centro, una vez comprobado el informe clínico correspondiente, deberá oír al paciente, y si persiste en su negativa lo pondrá en conocimiento del juez para que confirme o revoque la decisión.

28.- Según la Ley 1/2003, de 28 de enero, de Derechos e Información al Paciente de la Comunidad Valenciana, no es cierto con respecto a la historia clínica:

a) La historia clínica es el conjunto de documentos en los que está contenida toda la información obtenida en todos los procesos asistenciales del paciente.

b) Las historias clínicas se pueden elaborar en soporte papel, audiovisual o informático, siempre que esté garantizada la autenticidad del contenido de las mismas y su reproducción futura.

c) Los centros sanitarios dispondrán de varios modelos normalizados de historia clínica, adaptados al nivel asistencial y la clase de prestación que se realice.

d) En las historias clínicas en las que participen más de un médico o un equipo asistencial, deberán constar individualizadas las acciones, intervenciones y prescripciones realizadas por cada profesional.

29.- Según el artículo 22 de la Ley 1/2003, de 28 de enero, de Derechos e Información al Paciente de la Comunidad Valenciana, la historia clínica tendrá un número de identificación e incluirá los siguientes datos mínimos:

a) Identificación de la institución o centro, datos suficientes para la identificación del paciente, datos clínico-asistenciales y datos sociales.

b) Identificación de la institución o centro, datos suficientes para la identificación del paciente, datos clínico-asistenciales y datos socioeconómicos.

c) Identificación de la institución o centro, datos suficientes para la identificación del paciente, datos clínico-asistenciales y datos socioculturales.

d) Identificación de la institución o centro, datos suficientes para la identificación del paciente, datos clínico-asistenciales y datos de renta familiar.

30.- Entre los datos de identificación del paciente no se encuentra:

a) Nombre y apellidos.

b) Médico responsable del enfermo.

c) Número de habitación y cama en caso de ingreso.

d) Hoja de Voluntades Anticipadas, si las hubiere.

31.- Según el artículo 22 de la Ley 1/2003, de 28 de enero, de Derechos e Información al Paciente de la Comunidad Valenciana, para garantizar los usos de la historia clínica:

a) Se conservarán los documentos como mínimo tres años a partir de la fecha del último episodio asistencial en el que el paciente haya sido atendido o desde su fallecimiento.

b) Aquellos documentos especialmente relevantes se conservarán un mínimo de diez años o por el tiempo que fije la normativa vigente al respecto.

c) Las historias clínicas que sean prueba en un proceso judicial o procedimiento administrativo se conservarán hasta la finalización del mismo.

d) Las respuestas A y B son ciertas.

32.- Según el artículo 23 de la Ley 1/2003, de 28 de enero, de Derechos e Información al Paciente de la Comunidad Valenciana, ¿quién es el propietario de la historia clínica de un paciente?

a) La entidad titular del centro sanitario cuando el médico trabaje por cuenta ajena y bajo la dependencia de una institución sanitaria.

b) El paciente que recibe atención sanitaria.

c) El médico que realiza la atención sanitaria, cuando desarrolla su actividad por cuenta propia.

d) Las respuestas A y C son ciertas.

33.- Según el artículo 24 de la Ley 1/2003, de 28 de enero, de Derechos e Información al Paciente de la Comunidad Valenciana, ¿en qué circunstancias está autorizado el libre acceso a la historia clínica de los profesionales sanitarios e instituciones?

a) En el momento del proceso asistencial en que sea necesario, los profesionales asistenciales del centro implicados en el diagnóstico o el tratamiento del enfermo.

b) Para una actividad relacionada con la evaluación de la calidad asistencial, los inspectores sanitarios.

c) Para una actividad relacionada con la gestión del centro sanitario, el personal encargado de tareas administrativas.

d) Todas las respuestas anteriores son ciertas.

34.- Según el artículo 25 de la Ley 1/2003, de 28 de enero, de Derechos e Información al Paciente de la Comunidad Valenciana. ¿Tiene el paciente derecho a acceder a todos los documentos y datos de su historia clínica?

a) Sí, sin ningún tipo de restricciones.

b) Siempre, y en todo caso el derecho de acceso conlleva obtener una copia de la historia clínica.

c) Sí, aunque este acceso nunca será en perjuicio del derecho de terceros a la confidencialidad de sus datos que figuren en ella.

d) Siempre, aunque el derecho de acceso no conlleve obtener copias de los documentos y datos de la historia clínica.

35.- Con respecto al derecho de acceso a la historia clínica del paciente, de los profesionales sanitarios e instituciones (señale la opción incorrecta):

a) Cuando no sea el paciente quien solicite el acceso a su historia clínica, solamente se podrá efectuar si el paciente ha dado expresamente su conformidad por escrito.

b) En el caso de pacientes fallecidos, solo se facilitará el acceso sin ningún tipo de limitaciones a la historia clínica a los familiares más allegados o miembro de la unión de hecho.

c) Aquel personal que accede en el uso de sus competencias a cualquier clase de datos de la historia clínica queda sujeto al deber de guardar el secreto de los mismos.

d) El acceso a la historia clínica con finalidades epidemiológicas, información estadística sanitaria, actividades relacionadas con el control y evaluación de la calidad asistencial, las encuestas oficiales y los programas oficiales de investigación o docencia, obliga a preservar los datos de identificación personal del paciente, que siempre tendrán que estar separadas de las de carácter clínico-asistencial, salvo si el paciente, previamente, ha dado su consentimiento.

36.- Con relación a los derechos de participación (señale la opción incorrecta):

a) Los ciudadanos de la Comunidad Valenciana tienen el derecho a formular sugerencias, quejas, y reclamaciones cuando consideren que tienen motivo justificado para hacerlo.

b) A través de las organizaciones sociales, los ciudadanos pueden participar con las instituciones sanitarias formando parte de los Consejos de Salud.

c) Como expresión de la solidaridad, los ciudadanos pueden participar en tareas de apoyo en la atención de los pacientes, dentro del marco legal que establece la Ley del Voluntariado de la Comunidad Valenciana.

d) Todas las respuestas anteriores son falsas.

37.- Según el artículo 30 de la Ley 1/2003, de 28 de enero, de Derechos e Información al Paciente de la Comunidad Valenciana. ¿Con qué objeto se crea el Consejo Asesor de Bioética de la Comunidad Valenciana?

a) Con el objeto de proteger las obligaciones de los pacientes.

b) Con el objeto de proteger los derechos y obligaciones de los pacientes.

c) Con el objeto de proteger los derechos de los pacientes y asesorar en la adopción de decisiones complejas.

d) Con el objeto de proteger los derechos de los pacientes, atender, informar y asesorar a los ciudadanos que utilizan el sistema sanitario público en aspectos de carácter ético relacionados con la asistencia sanitaria que reciben.

38.- Según la Orden de 14 de septiembre de 2001, por la que se normalizan los documentos básicos de la historia clínica hospitalaria de la Comunidad Valenciana y se regula su conservación, las

historias clínicas, como unidades archivísticas específicas elaboradas en el proceso asistencial de los enfermos en los hospitales valencianos, forman parte del patrimonio documental valenciano por lo que la reglamentación de todos los aspectos de su conservación y expurgo se han de basar en la Ley 4/1998, de 11 de junio, de la Generalitat Valenciana, del Patrimonio Cultural Valenciano, tal como se prevé en su artículo 84. La situación de los archivos de historias clínicas de los hospitales valencianos:

a) Es la que presenta un mejor grado de estructuración de servicios de archivo y gestión documental de la Administración valenciana.
b) Actualmente los archivos de historias clínicas de los hospitales valencianos no disponen de personal especializado, como los médicos documentalistas.
c) Se plantea como solución alternativa al almacenamiento la reducción del volumen de los expedientes, con la finalidad de reducir la masa documental de los archivos, preservando aquellos documentos que tengan un valor clínico y científico.
d) Las respuestas A y C son ciertas.

39.- Según el artículo 4 de la Orden de 14 de septiembre de 2001, por la que se normalizan los documentos básicos de la historia clínica hospitalaria de la Comunidad Valenciana y se regula su conservación, la historia clínica es la unidad archivística formada por todos los documentos generados por la asistencia al enfermo, tanto en el área de urgencias como en las áreas de consultas externas y de hospitalización. Entre los documentos básicos de la historia clínica de Atención Especializada se encuentra la hoja de informe de alta. ¿Cuánto tiempo se conservará este documento?

a) Se conservará, si existe hoja de exploración física, como mínimo cinco años a partir de la fecha del último episodio asistencial en que el paciente haya sido atendido en el hospital.
b) Este documento, si existe hoja de anamnesis, podrá expurgarse a los cinco años de la fecha del último episodio asistencial.
c) Se conservará indefinidamente utilizando el soporte más adecuado que garantice esta correcta conservación.
d) Las respuestas A y B son ciertas.

40.- Con respecto a la Radiología convencional en soporte placa:

a) Las placas podrán destruirse a partir de los cinco años de la fecha del último episodio asistencial en que el paciente haya sido atendido en el hospital.
b) Los informes radiológicos se conservarán indefinidamente, utilizando el soporte más adecuado que garantice esta correcta conservación.
c) Las placas se conservarán indefinidamente, utilizando el soporte más adecuado que garantice esta correcta conservación.
d) Las respuestas A y B son ciertas.

41.- Según la Orden de 14 de septiembre de 2001, por la que se normalizan los documentos básicos de la historia clínica hospitalaria de la Comunidad Valenciana y se regula su conservación, se conservará como mínimo cinco años a partir de la fecha del último episodio asistencial en que el paciente haya sido atendido en el hospital.

a) Hoja de urgencias.
b) Hoja de petición de alta voluntaria.
c) Hoja de autorización.
d) Hoja de donación de órganos.

42.- La Orden de 14 de septiembre de 2001, por la que se normalizan los documentos básicos de la historia clínica hospitalaria de la Comunidad Valenciana y se regula su conservación, crea la Comisión de Selección y Conservación de la Documentación Clínica adscrita a la Conselleria de Sanidad. Esta comisión (señale la opción incorrecta):

a) Se integra, en el momento de su creación, como un grupo de trabajo en la Junta Calificadora de Documentos Administrativos, prevista en el artículo 85 de la Ley 4/1998, de 11 de junio, de la Generalitat Valenciana, del Patrimonio Cultural Valenciano.
b) Estará integrada por un representante de la Conselleria de Sanidad y tres representantes de los hospitales públicos nombrados por el Conseller de Sanidad, un miembro de la Sociedad Valenciana de Documentación Clínica y un representante de la Conselleria de Cultura y Educación, nombrado por el respectivo Conseller.
c) Se renovará por un periodo de cuatro años, renovables por otro periodo de igual duración.
d) Debe celebrar como mínimo una reunión plenaria anual, pudiendo convocarse, no obstante, las reuniones extraordinarias que se consideren oportunas.

43.- No es una función de la Comisión de Selección y Conservación de historias clínicas:

a) Asesorar y orientar a la Conselleria de Sanidad en materia de Bioética.
b) El seguimiento y control de la normativa prevista sobre conservación y expurgo de los documentos de la historia clínica, y su aplicación en los centros de asistencia especializada de la Comunidad Valenciana.
c) El estudio de las propuestas de instrucciones sobre los aspectos técnicos relacionados con la conservación y expurgo de la historia clínica de Atención Especializada.
d) Actuar como órgano consultivo en aquellos aspectos relacionados con la conservación de la documentación de la historia clínica.

44.- La Ley 1/2003, de 28 de enero, de Derechos e Información al Paciente de la Comunidad Valenciana, crea el Consejo Asesor de Bioética de la Comunidad Valenciana y los comités de Bioética Asistencial. El Consejo Asesor de Bioética de la Comunidad Valenciana es un órgano colegiado de carácter permanente, interdisciplinar y consultivo, dependiente de la Conselleria de Sanidad. ¿Cuál es la periodicidad de sus reuniones?

a) Al menos, anual.
b) Al menos, semestralmente.
c) Al menos, trimestralmente.
d) Todas las respuestas anteriores son falsas.

45.- Según el artículo 32 de la Ley 1/2003, de 28 de enero, de Derechos e Información al Paciente de la Comunidad Valenciana, sin perjuicio de las exigencias que pudieran derivarse en los ámbitos de la responsabilidad civil y penal, o de la responsabilidad profesional o estatutaria, será de aplicación el régimen sancionador previsto en la Ley:

a) 14/1986, de 25 de abril, General de Sanidad.
b) 15/1999, de 13 de diciembre, de Protección de Datos de Carácter Personal.
c) 28/1992, de 24 de noviembre, de Ordenación Económica y Medidas Presupuestarias Urgentes, referente a utilización abusiva de la prescripción de medicamentos.
d) Todas las respuestas anteriores son ciertas.

Cuestionario n.º 12

SERVICIO DE ATENCIÓN E INFORMACIÓN AL PACIENTE

1.- ¿Qué normativa deroga el Decreto 2/2002, de 8 de enero, del Consell, por el que se crean los Servicios de Atención e Información al Paciente (SAIP)?

a) La Ley 1/2003, de 28 de enero, de la Generalitat, de Derechos e Información al Paciente de la Comunitat Valenciana.

b) El Decreto 74/2007, de 18 de mayo, del Consell, por el que se aprueba el Reglamento sobre Estructura, Organización y Funcionamiento de la Atención Sanitaria en la Comunitat Valenciana.

c) El Decreto 215/2009, de 27 de noviembre, del Consell, por el que se regulan los Servicios de Atención e Información al Paciente.

d) La Orden de 23 de marzo de 2007, del Conseller de Sanidad, por la que se aprueba la Carta de Servicios de Atención e Información al Paciente de los hospitales.

2.- La Ley 1/2003, de 28 de enero, de la Generalitat, de Derechos e Información al Paciente de la Comunitat Valenciana, reconoce, en el artículo 4, el derecho de los ciudadanos a disponer de un servicio específico para la información y atención a pacientes que, entre otras funciones, les orienten sobre los servicios y unidades asistenciales disponibles y los trámites de acceso a los mismos.

a) Los Servicios de Atención e Información al Paciente suponen un elemento clave en la estructura sanitaria para mejorar la percepción que los pacientes tienen de la calidad de los servicios sanitarios que reciben.

b) Para que la estructura de los Servicios de Atención e Información al Paciente responda a la actual organización de la atención sanitaria en la Agència Valenciana de Salut en la Comunitat Valenciana, el personal de mostradores y puntos de información se integrarán, a nivel orgánico, en la estructura SAIP.

c) Los Servicios de Atención e Información al Paciente son los garantes del cumplimiento de los derechos que los ciudadanos tienen reconocidos en la normativa vigente.

d) La respuesta B es falsa.

3.- Según el Decreto 215/2009, de 27 de noviembre, por el que se regulan los Servicios de Atención e Información al Paciente (SAIP), una de las siguientes afirmaciones no es correcta.

a) El SAIP es la unidad funcional responsable de atender, informar y asesorar a las ciudadanas y ciudadanos que utilizan el sistema sanitario público.

b) El SAIP tramita las quejas, sugerencias y agradecimientos relacionados con la asistencia sanitaria.

c) El SAIP ayuda y apoya al ciudadano en su relación con la sanidad.

d) El SAIP cobrará precios públicos por la gestión de las quejas, sugerencias y agradecimientos, y tramita las reclamaciones ante los órganos responsables.

4.- Según el artículo 2 del Decreto 215/2009, de 27 de noviembre, del Consell, por el que se regulan los Servicios de Atención e Información al Paciente, el SAIP se constituye como un servicio integrado en el Departamento de Salud, interconectando y homogeneizando las actividades y criterios de actuación de la asistencia sanitaria y socio-sanitaria. En cada Departamento de Salud habrá, al menos:

a) Una unidad básica SAIP para los pacientes de Atención Primaria.
b) Dos unidades básicas SAIP para el Centro de Especialidades.
c) Dos unidades básicas SAIP en el hospital de media estancia.
d) Dos unidades básicas SAIP en el hospital de larga estancia.

5.- De acuerdo con la corrección de errores (día 22 de enero de 2010) del Decreto 215/2009, de 27 de noviembre, del Consell, por el que se regulan los Servicios de Atención e Información al Paciente, no forma parte de la estructura SAIP:

a) Coordinadora / Coordinador SAIP del Departamento.
b) Unidades básicas de atención e información al paciente.
c) Puntos SAIP de información.
d) Personal de mostradores, incluyendo cita previa y atención telefónica.

6.- Según el artículo 3 del Decreto 215/2009, de 27 de noviembre, del Consell, por el que se regulan los Servicios de Atención e Información al Paciente, el personal de los SAIP dependerá:

a) Funcionalmente de la Dirección General de Calidad y Atención al Paciente y orgánicamente de la Gerencia de su Departamento.
b) Funcionalmente de la Gerencia del Departamento y orgánicamente de la Dirección General de Calidad y Atención al Paciente.
c) Funcionalmente de la Dirección General para la Prestación Asistencial y orgánicamente de la Dirección General para la Atención al Paciente.
d) Funcional y orgánicamente de la Gerencia del Departamento.

7.- Según el artículo 4 del Decreto 215/2009, de 27 de noviembre, del Consell, por el que se regulan los Servicios de Atención e Información al Paciente, son funciones de las unidades básicas SAIP:

a) Captar las inquietudes y necesidades de los pacientes en materia de asistencia sanitaria y canalizarla hacia los órganos directivos.
b) Colaborar en la realización de encuestas de calidad percibida por los pacientes del Departamento.
c) Remitir las quejas, sugerencias y agradecimientos a las empresas contratistas, comunicando a la vez dichas incidencias, para su conocimiento y efectos oportunos, al Área de Conciertos.
d) Todas las respuestas anteriores son ciertas.

8.- En todos los Departamentos de Salud de la Comunidad Valenciana, el ciudadano puede encontrar los Servicios de Atención e Información al Paciente. El SAIP del hospital no ofrece el siguiente servicio:

a) La tramitación de las solicitudes de segunda opinión.
b) El registro y gestión de las Voluntades Anticipadas.
c) La tramitación de la libre elección de facultativo y centro.
d) La coordinación de las actividades del voluntariado sanitario.

9.- ¿A dónde tendrá que dirigirse la familia de una persona ingresada en una Unidad de Cuidados Intensivos de un hospital de agudos interesada en la obtención de un documento de Voluntades Anticipadas, siempre que sea mayor de edad o menor emancipada con capacidad legal y que las manifieste libremente, para hacer constar, además, su decisión respecto a la donación de órganos con finalidad terapéutica, docente o de investigación?

a) Puede obtener el documento en el despacho de coordinación del SAIP.

b) Puede obtener el documento en la misma Unidad Crítica en la que se atiende al paciente que requiere una vigilancia continuada y unos cuidados especiales.

c) Puede obtener el documento en el despacho del gerente del hospital.

d) Puede obtener el documento en el despacho del director médico del hospital.

10.- Según la Orden de 23 de marzo de 2007, del Conseller de Sanidad, por la que se aprueba la Carta de Servicios de los Servicios de Atención e Información al Paciente de los hospitales, ¿quién facilitará los trámites para el acceso del paciente a su propia historia clínica?

a) La Unidad de Admisión y Documentación Clínica.

b) El SAIP del hospital.

c) La Comisión de Consentimiento informado.

d) La Dirección General de Calidad y Atención al Paciente.

11.- Según la Orden de 23 de marzo de 2007, del Conseller de Sanidad, por la que se aprueba la Carta de Servicios de los Servicios de Atención e Información al Paciente de los hospitales, a través de las unidades básicas SAIP, unidades que dirigen sus principales esfuerzos a mejorar el nivel de información y atención de los pacientes, no se ofrece uno de los siguientes servicios:

a) La coordinación de la atención a la persona maltratada.

b) La coordinación de la orientación de los pacientes con enfermedades raras.

c) Informar y asesorar a los pacientes sobre todas las cuestiones demandadas por ellos, incluso de aquellas que no estén en su ámbito de competencia.

d) Facilitar los trámites para la obtención de las certificaciones médicas que se requieran para la adopción de niños en el extranjero.

12.- Según el artículo 5 del Decreto 215/2009, de 27 de noviembre, del Consell, por el que se regulan los Servicios de Atención e Información al Paciente (SAIP), el personal y puestos de trabajo de la estructura SAIP será de naturaleza estatutaria, y se regirá por lo dispuesto en su régimen jurídico. Es personal con dedicación completa al SAIP:

a) Coordinadora / coordinador SAIP del Departamento.

b) Personal en servicio en los Puntos SAIP de información.

c) Personal de mostradores y atención telefónica.

d) Todas las respuestas anteriores son ciertas.

13.- Al menos, uno del siguiente personal no forma parte de las unidades básicas SAIP:

a) Una enfermera/enfermero jefe SAIP.

b) Una enfermera/enfermero.

c) Una celadora/celador.

d) Personal administrativo.

14.- Según el artículo 6 del Decreto 215/2009, de 27 de noviembre, del Consell, por el que se regulan los Servicios de Atención e Información al Paciente (SAIP), ¿cuáles son los requisitos del personal con dedicación completa al SAIP?

a) El Coordinador SAIP tendrá la titulación de licenciado en Medicina y Cirugía y el personal de enfermería de las unidades básicas, diplomatura en Enfermería.

b) El Coordinador SAIP tendrá la titulación de doctor en Medicina y Cirugía y el personal de enfermería de las unidades básicas, diplomatura en Enfermería.

c) El Coordinador SAIP tendrá la titulación de licenciado en Medicina y Cirugía y el personal de enfermería de las unidades básicas, grado en Enfermería.

d) No es imprescindible que el Coordinador SAIP del Departamento sea facultativo, pero sí es un requisito que el personal de enfermería del SAIP tenga una diplomatura en Enfermería.

15.- Según el artículo 7 del Decreto 215/2009, de 27 de noviembre, del Consell, por el que se regulan los Servicios de Atención e Información al Paciente (SAIP), todo el personal que preste su servicio en los SAIP, Puntos SAIP de información o mostradores y atención telefónica, deberá acreditar una formación específica en atención al paciente, de acuerdo a lo siguiente:

a) Coordinadores y personal de enfermería: 100 horas lectivas acreditadas por la Escuela Valenciana de Estudios para la Salud (EVES).

b) Personal de mostradores y atención telefónica: 25 horas lectivas acreditadas por la Escuela Valenciana de Estudios para la Salud (EVES).

c) Administrativos y puntos de información: 75 horas lectivas acreditadas por la Escuela Valenciana de Estudios para la Salud (EVES).

d) Las respuestas A y B son ciertas.

16.- Según el artículo 8 del Decreto 215/2009, de 27 de noviembre, por el que se regulan los Servicios de Atención e Información al Paciente (SAIP), para las tareas específicas que desarrolla el personal con dedicación completa al SAIP, no se valorará:

a) Ser buen conocedor de la institución sanitaria y sus recursos asistenciales, así como de la legislación y demás normativa vigente relacionada con sus funciones.

b) Tener habilidades de negociación para su relación con los demás profesionales asistenciales.

c) Tener formación específica en las herramientas informáticas SAIP, Programa de Información y Gestión y Atención al Paciente (PIGAP) y Voluntades Anticipadas (Volant) o en cualquier otra aplicación informática relacionada con la atención al paciente que introduzca la Dirección General de Calidad y Atención al Paciente.

d) Tener dotes de mando y habilidades en el manejo de equipos.

17.- Con respecto a las quejas, sugerencias y agradecimientos en el ámbito de las instituciones sanitarias dependientes de la Agencia Valenciana de Salud y de la Conselleria de Sanidad, una de las siguientes afirmaciones no es cierta:

a) Las quejas, las sugerencias y los agradecimientos se configuran como un mecanismo de gran utilidad para conocer la percepción que los pacientes tienen de la calidad de los servicios asistenciales que reciben.

b) La Dirección General de Calidad y Atención al Paciente es, en el ámbito de la Agencia Valenciana de Salud, la competente para realizar el seguimiento de las quejas y sugerencias interpuestas en el ámbito sanitario así como de su análisis y del impulso y conocimiento de las iniciativas de mejora que de él se deriven.

c) Tienen la consideración de quejas los escritos y comunicaciones formuladas por los pacientes para mejorar la calidad de los servicios públicos de la Administración sanitaria y, en especial, aquellas que puedan contribuir a simplificar, reducir o eliminar trámites o molestias en sus relaciones con la administración sanitaria.

d) Por la propia naturaleza de la queja, contra su respuesta no cabrá recurso alguno, sin perjuicio de que los motivos de la queja puedan volver a exponerse en los posibles recursos que quepa interponer en el procedimiento administrativo con el que guarden relación.

18.- A efectos de la Orden de 27 de septiembre de 2007, de la Conselleria de Sanidad, por la que se regulan las quejas, sugerencias y agradecimientos en el ámbito de las instituciones sanitarias dependientes de la Agencia Valenciana de Salud y de la Conselleria de Sanidad, tienen la consideración de queja:

a) Únicamente las manifestaciones de disconformidad con la prestación de los servicios prestados.

b) Las denuncias sobre posibles irregularidades o infracciones de la legalidad que puedan entrañar responsabilidad disciplinaria del personal al servicio de las instituciones sanitarias dependientes de la Agencia Valenciana de Salud y de la Conselleria de Sanidad.

c) Las reclamaciones previas al ejercicio de acciones judiciales.

d) Las reclamaciones por responsabilidad patrimonial de la administración.

19.- Según el artículo 6 de la Orden de 27 de septiembre de 2007, de la Conselleria de Sanidad, por la que se regulan las quejas, sugerencias y agradecimientos en el ámbito de las instituciones sanitarias dependientes de la Agencia Valenciana de Salud y de la Conselleria de Sanidad, los pacientes presentarán sus quejas, sugerencias y agradecimientos por escrito, debiendo indicar (señale la respuesta incorrecta):

a) Nombre y apellidos.

b) Teléfono de contacto, si dispone de él.

c) DNI o SIP.

d) Departamento de Salud, hospital o centro de salud al que se dirige.

20.- ¿En qué órganos receptores o unidades de registro pueden los pacientes presentar sus quejas, sugerencias y agradecimientos por escrito, debidamente firmado?

a) Únicamente en los Servicios de Atención e Información al Paciente (SAIP) del hospital.

b) En el Registro General de la Conselleria de Sanidad.

c) Por Internet, ajustándose a las condiciones y requisitos del Servidor.

d) En el despacho del gerente del Departamento de Salud.

21.- Según el artículo 7 de la Orden de 27 de septiembre de 2007, de la Conselleria de Sanidad, por la que se regulan las quejas, sugerencias y agradecimientos en el ámbito de las instituciones sanitarias dependientes de la Agencia Valenciana de Salud y de la Conselleria de Sanidad, las unidades de registro u órganos receptores de las quejas, sugerencias y agradecimientos de pacientes sellarán el escrito o comunicación presentada y practicarán el correspondiente asiento, indicando la fecha del día de la recepción. Las unidades de registro, cuando esta no sea un SAIP, ¿a quién enviarán los escritos cuyo contenido sea competencia del ámbito sanitario, para su conocimiento y posterior análisis?

a) Al gerente del Departamento de Salud.

b) Al director gerente de la Agencia Valenciana de Salud.

c) A la Dirección General de Calidad y Atención al Paciente.

d) A la Dirección General para la Prestación Asistencial.

22.- Según la Orden de 27 de septiembre de 2007, de la Conselleria de Sanidad, por la que se regulan las quejas, sugerencias y agradecimientos en el ámbito de las instituciones sanitarias dependientes de la Agencia Valenciana de Salud y de la Conselleria de Sanidad, ¿al cabo de cuántos años podrá ser destruida la documentación de los expedientes de quejas que obren en poder de la Dirección General de Calidad y Atención al Paciente?

a) 3 años.
b) 4 años.
c) 5 años.
d) 7 años.

23.- Según el artículo 8 de la Orden de 27 de septiembre de 2007, de la Conselleria de Sanidad, por la que se regulan las quejas, sugerencias y agradecimientos en el ámbito de las instituciones sanitarias dependientes de la Agencia Valenciana de Salud y de la Conselleria de Sanidad, presentada la queja o sugerencia, para su tramitación, ¿qué órgano abrirá un expediente informativo, llevando a cabo actuaciones dirigidas a obtener la información oportuna de la unidad o servicio directamente afectados?

a) El órgano receptor cuando no es un SAIP.
b) El órgano receptor cuando es un SAIP.
c) El órgano responsable de la respuesta.
d) Las respuestas B y C son ciertas.

24.- Según el artículo 9 de la Orden de 27 de septiembre de 2007, de la Conselleria de Sanidad, por la que se regulan las quejas, sugerencias y agradecimientos en el ámbito de las instituciones sanitarias dependientes de la Agencia Valenciana de Salud y de la Conselleria de Sanidad, todas las quejas y sugerencias deberán ser tramitadas y no podrán quedar sin respuesta excepto cuando no consten los datos necesarios para la remisión de la contestación. La notificación deberá notificarse al interesado:

a) En un plazo no superior a quince días desde que la queja o sugerencia tuvo entrada en el registro del órgano competente de la respuesta.
b) En un plazo no superior a un mes desde que la queja o sugerencia tuvo entrada en el registro del órgano competente de la respuesta.
c) En un plazo no superior a cuarenta y cinco días desde que la queja o sugerencia tuvo entrada en el registro del órgano competente de la respuesta.
d) En un plazo no superior a dos meses desde que la queja o sugerencia tuvo entrada en el registro del órgano competente de la respuesta.

25.- Según el artículo 10 de la Orden de 27 de septiembre de 2007, de la Conselleria de Sanidad, por la que se regulan las quejas, sugerencias y agradecimientos en el ámbito de las instituciones sanitarias dependientes de la Agencia Valenciana de Salud y de la Conselleria de Sanidad, los órganos responsables de las respuestas a las quejas y sugerencias son (Señale la respuesta incorrecta):

a) El gerente del Departamento de Salud.
b) El director médico de hospital, el director del Área Clínica del hospital, el director médico de Atención Primaria, los subdirectores médicos del hospital, en función del ámbito de competencia de los mismos, por delegación del gerente del Departamento de Salud.

c) El director del centro privado en el caso que se haya contratado la prestación del servicio, debiendo enviar copia de la misma a la Dirección General de Calidad y Atención al Paciente.

d) El director de Gestión y Servicios Generales, los subdirectores de Enfermería del Departamento, en función del ámbito de competencia de los mismos, por delegación del gerente del Departamento de Salud.

26.- Según la Orden de 27 de septiembre de 2007, de la Conselleria de Sanidad, por la que se regulan las quejas, sugerencias y agradecimientos en el ámbito de las instituciones sanitarias dependientes de la Agencia Valenciana de Salud y de la Conselleria de Sanidad, una de las siguientes proposiciones no es correcta:

a) El paciente podrá recabar información sobre el estado de tramitación de su queja o sugerencia únicamente durante el tiempo de las alegaciones pertinentes al Servicio, persona o personas implicadas realizadas por el SAIP receptor del escrito.

b) La Dirección General de Calidad y Atención al Paciente realizará el seguimiento de las quejas y sugerencias interpuestas en el ámbito de las instituciones sanitarias.

c) Todos los SAIP enviarán a la Dirección General de Calidad y Atención al Paciente, antes de finalizar el mes siguiente al que se han producido las quejas y sugerencias, el original de la queja y la sugerencia y la copia de la contestación.

d) La Dirección General de Calidad y Atención al Paciente asegurará la debida protección de los datos de carácter personal que se recojan en los escritos y comunicaciones, de acuerdo con lo dispuesto en la Ley Orgánica 15/1999, de 13 de diciembre, de Protección de Datos de Carácter Personal.

27.- Según el artículo 13 de la Orden de 27 de septiembre de 2007, de la Conselleria de Sanidad, por la que se regulan las quejas, sugerencias y agradecimientos en el ámbito de las instituciones sanitarias dependientes de la Agencia Valenciana de Salud y de la Conselleria de Sanidad, los escritos de respuesta a las quejas no contemplarán, como criterio de calidad:

a) Respuesta lo más rápida posible, sin necesidad de agotar plazos.

b) Personalización de la respuesta.

c) Respuesta parcial a los contenidos planteados, aunque con referencia a los informes recabados.

d) Disculpas por las molestias que se le hayan podido causar y agradecimiento por la oportunidad de mejora que las mismas brindan.

28.- Según el artículo 14 de la Orden de 27 de septiembre de 2007, de la Conselleria de Sanidad, por la que se regulan las quejas, sugerencias y agradecimientos en el ámbito de las instituciones sanitarias dependientes de la Agencia Valenciana de Salud y de la Conselleria de Sanidad, la mera estadística de quejas y sugerencias dirigidas a un Departamento de Salud:

a) Será considerada en sí misma, exponente negativo del mismo.

b) No será considerada en sí misma, exponente negativo del mismo.

c) Será considerada exponente negativo del mismo cuando del análisis de un grupo de quejas o sugerencias se ponga de manifiesto unas mismas deficiencias o determinadas oportunidades de prestar un mejor servicio.

d) Ninguna de las respuestas anteriores es correcta.

29.- Según la Orden de 27 de septiembre de 2007, de la Conselleria de Sanidad, por la que se regulan las quejas, sugerencias y agradecimientos en el ámbito de las instituciones sanitarias dependientes de la Agencia Valenciana de Salud y de la Conselleria de Sanidad, el tercer mes de cada año la Dirección General de Calidad y Atención al Paciente elaborará, con los datos

obtenidos en PIGAP, un informe estadístico valorativo de las quejas y sugerencias presentadas y tramitadas en el año anterior, así como de las respuestas y acciones adoptadas, en su caso. Este informe estadístico se pondrá en conocimiento del:

a) Conseller y del director gerente de la Agencia Valenciana de Salud.
b) Conseller y del director general para la Prestación Asistencial.
c) Presidente de la Generalitat y presidente de Les Corts.
d) Consell.

30.- Las actuaciones de los profesionales de los centros sanitarios se orientarán a la mejora continua de la calidad de los procesos asistenciales. Son herramientas de la gestión de la calidad:

a) Las guías y protocolos de actuación clínica y asistencial para la toma de decisiones basadas en la evidencia científica.
b) Las normas de calidad y seguridad para garantizar la seguridad en la atención sanitaria.
c) Los sistemas de información cada vez más homogéneos.
d) Todas las respuestas anteriores son correctas.

Cuestionario n.º 13

LA TARJETA INDIVIDUAL SANITARIA

1.- ¿Qué norma establece que el acceso de los ciudadanos a las prestaciones de la atención sanitaria que proporciona el Sistema Nacional de Salud sea facilitada a través de la Tarjeta Sanitaria Individual, como documento administrativo que acredita determinados datos de su titular?

a) Ley 16/2003, de 28 de mayo, de Cohesión y Calidad del Sistema Nacional de Salud.

b) Ley 6/2008, de 2 de junio, de la Generalitat, de Aseguramiento Sanitario del Sistema Sanitario Público de la Comunitat Valenciana.

c) Real Decreto 183/2004, de 30 de enero, por el que se regula la Tarjeta Sanitaria Individual.

d) Decreto 7/2003 de 28 de enero, del Consell de la Generalitat, por el que se aprueba el reglamento sobre estructura, organización y funcionamiento de la atención sanitaria en la Comunidad Valenciana.

2.- Según el artículo 3 de la Ley 16/2003, de 28 de mayo, de Cohesión y Calidad del Sistema Nacional de Salud, son titulares de los derechos a la protección de la salud y a la atención sanitaria todos los españoles y los extranjeros en el territorio nacional en los términos previstos en el artículo 12 de la Ley Orgánica 4/2000, de 11 de enero, sobre Derechos y Libertades de los Extranjeros en España y su Integración Social. Conforme a esta Ley Orgánica (señale la opción incorrecta):

a) Los extranjeros que se encuentren en España, inscritos en el padrón del municipio en el que tengan su domicilio habitual, tienen derecho a la asistencia sanitaria en las mismas condiciones que los españoles.

b) Los extranjeros que se encuentren en España tienen derecho a la asistencia sanitaria pública de urgencia por enfermedad grave o accidente, cualquiera que sea su causa, y a la continuidad de dicha atención hasta la situación de alta médica.

c) Los extranjeros menores de 18 años que se encuentren en España tienen derecho a la asistencia sanitaria en las mismas condiciones que los españoles.

d) Las extranjeras embarazadas que se encuentren en España tienen derecho a la asistencia sanitaria durante el embarazo, parto y posparto, teniendo presente que el periodo de posparto es, como mínimo, de 6 meses.

3.- Según el artículo 57 de la Ley 16/2003, de 28 de mayo, de Cohesión y Calidad del Sistema Nacional de Salud, con el objetivo de poder generar el código de identificación personal único, ¿quién desarrollará una base de datos que recoja la información básica de asegurados del Sistema Nacional de Salud, de tal manera que los servicios de salud dispongan de un servicio de intercambio de información sobre la población protegida, mantenido y actualizado por los propios integrantes del sistema?

a) El Ministerio de Sanidad y Consumo.

b) Las Administraciones sanitarias autonómicas competentes.

c) La Seguridad Social.

d) El Ministerio de Sanidad y Consumo junto con las Administraciones sanitarias autonómicas competentes.

4.- Según el artículo 2 del Real Decreto 183/2004, de 30 de enero, por el que se regula la Tarjeta Sanitaria Individual, ¿quién emitirá la Tarjeta Sanitaria Individual con soporte informático a las personas residentes en su ámbito territorial que tengan acreditado el derecho a la asistencia sanitaria pública?

a) Las Administraciones sanitarias autonómicas y el Instituto Nacional de Gestión Sanitaria (INGESA).

b) Las Administraciones sanitarias autonómicas, exclusivamente.

c) El Instituto Nacional de Gestión Sanitaria (INGESA), exclusivamente.

d) Las Administraciones sanitarias autonómicas y la Seguridad Social del Estado.

5.- Según el artículo 4 del Real Decreto 183/2004, de 30 de enero, por el que se regula la Tarjeta Sanitaria Individual, una de estas proposiciones no es cierta:

a) La asignación del código de identificación personal del Sistema Nacional de Salud se realizará en el momento de inclusión de los datos relativos a cada ciudadano en la base de datos de población protegida por el Sistema Nacional de Salud.

b) El código de identificación personal del Sistema Nacional de Salud actuará como clave de desviación de los diferentes códigos de identificación personal autonómicos que cada persona pueda tener asignados a lo largo de su vida.

c) El código de identificación personal del Sistema Nacional de Salud tendrá carácter irrepetible y será único a lo largo de la vida de cada persona, independientemente de la Administración sanitaria competente en su atención sanitaria en cada momento.

d) El código de identificación personal del Sistema Nacional de Salud facilitará la búsqueda de la información sanitaria de un paciente que pueda encontrarse dispersa en el Sistema Nacional de Salud, exclusivamente cuando ello redunde en la mejora de la atención sanitaria, con pleno respeto a lo dispuesto en la Ley Orgánica 15/1999, de 13 de diciembre, de Protección de Datos de Carácter Personal, y en la Ley 41/2002, de 14 de noviembre, Básica reguladora de la Autonomía del Paciente y de Derechos y Obligaciones en Materia de Información y Documentación Clínica, garantizando asimismo la confidencialidad e integridad de la información.

6.- Según el Decreto 126/1999, de 16 de agosto, del Consell, por el que se crea el Sistema de Información Poblacional de la Conselleria de Sanidad (SIP), no es cierto:

a) El SIP es un fichero automatizado.

b) El SIP es el registro administrativo corporativo que contiene datos de identificación, localización, asignación de recursos sanitarios asistenciales y de modalidad de aseguramiento de todas las personas, españolas o extranjeras, que residan o se encuentren en la Comunidad Valenciana.

c) El SIP de la Conselleria de Sanidad se enmarca dentro del Plan Estratégico de Modernización de la Administración Valenciana (PEMAV).

d) Corresponderá a la Conselleria de Sanidad la planificación, implantación y gestión continuada del SIP, y al Ministerio de Sanidad y Consumo la evaluación, así como la determinación de las características generales y contenido de la Tarjeta Sanitaria Individual.

7.- Según el Decreto 126/1999, de 16 de agosto, del Gobierno Valenciano, por el que se crea el Sistema de Información Poblacional de la Conselleria de Sanidad. ¿Cuál de las siguientes no será considerada finalidad y uso del fichero SIP?

a) Acreditar el derecho a la asistencia sanitaria prestada por la Conselleria de Sanidad, a través de sus servicios de salud, mediante la distribución de tarjetas sanitarias.
b) Mejorar el control del gasto de farmacia.
c) Facilitar la libre elección de médico.
d) Promoción de la salud y rehabilitación funcional del enfermo.

8.- Según el Decreto 126/1999, de 16 de agosto, del Gobierno Valenciano, por el que se crea el Sistema de Información Poblacional de la Conselleria de Sanidad, el órgano de la administración responsable del fichero automatizado es la Secretaría General de la Conselleria de Sanidad. ¿Cuál será el servicio o unidad ante el cual se puede ejercitar solo los derechos de acceso y rectificación de los datos referidos a identificación y localización de los afectados, pero no de cancelación?

a) Registro Central del SIP.
b) Unidades de Afiliación y Validación de la Conselleria de Sanidad.
c) Centros de Salud/consultorios que se determinen.
d) Hospitales dependientes de la Generalitat Valenciana.

9.- Según el artículo 3 de la Ley 6/2008, de 2 de junio, de Aseguramiento Sanitario del Sistema Sanitario Público de la Comunitat Valenciana, el número SIP deberá constar, con carácter obligatorio, en todos los documentos que constituyen el registro de actividades clínicas de los servicios asistenciales y que requieran la identificación del paciente. Pero también en (señale la opción incorrecta):

a) Los documentos relacionados con los programas de salud.
b) Las recetas oficiales de farmacia.
c) Los documentos de solicitud de prestaciones sanitarias complementarias.
d) Todos los ficheros informatizados de pacientes existentes de la Conselleria de Sanidad, especialmente en los documentos, registros y ficheros informatizados que contengan datos confidenciales.

10.- Según el artículo 5 de la Ley 6/2008, de 2 de junio, de Aseguramiento Sanitario del Sistema Sanitario Público de la Comunitat Valenciana, se entiende por persona de baja en SIP aquella que, registrada en el Sistema de Información Poblacional, ha dejado de reunir las condiciones necesarias para estar de alta en el SIP (señale la opción incorrecta):
a) Mientras la persona permanezca de baja en SIP, no tiene acreditado el derecho a recibir las prestaciones sanitarias del sistema sanitario público de la Comunidad Valenciana.
b) La persona de baja en SIP pierde el número de identificación personal del Sistema de Información Poblacional.
c) La persona de baja en SIP, para estar de nuevo de alta en SIP, tendrá que volver a presentar la documentación que le reconozca el derecho a las mismas.
d) La baja en el Sistema de Información Poblacional no comporta en ningún caso la falta de prestaciones de asistencia sanitaria, independientemente de las acciones administrativas que se deriven en cada caso.

11.- Según el artículo 7 de la Ley 6/2008, de 2 de junio, de Aseguramiento Sanitario del Sistema Sanitario Público de la Comunitat Valenciana, la Conselleria de Sanidad reúne las modalidades de aseguramiento en los siguientes grupos (señale la opción incorrecta):

a) Grupo 1. «Protección estatal».
b) Grupo 2. «Protección autonómica».

c) Grupo 3. «Desplazados de otra comunidad autónoma peninsular».

d) Grupo 4. «Privados».

12.- Una de las proposiciones siguientes es incorrecta:

a) Prestaciones sanitarias:

Las prestaciones sanitarias que la Conselleria de Sanidad facilita son las contempladas en el catálogo de prestaciones del Sistema Nacional de Salud.

b) Grupo de aseguramiento:

Se entiende por grupo de aseguramiento el conjunto de modalidades de aseguramiento con características comunes en función del origen de la protección y el reconocimiento de derechos de prestaciones sanitarias de la población.

c) Modalidades de aseguramiento:

Las personas titulares y beneficiarias de los regímenes especiales de la Seguridad Social gestionados por las mutualidades administrativas que hayan optado por recibir las prestaciones sanitarias a través de entidades diferentes a la red sanitaria pública, se incluyen en la modalidad de aseguramiento del Grupo 4. «Privados».

d) Financiación de las prestaciones:

La Generalitat financiará con cargo a sus Presupuestos todas las prestaciones sanitarias referidas a los grupos de aseguramiento, salvo en el caso de las prestaciones realizadas a las personas cuyas modalidades de aseguramiento estén incluidas en el Grupo de aseguramiento 3. «Desplazados de otra Comunidad Autónoma o País».

13.- Según el artículo 8 de la Ley 6/2008, de 2 de junio, de Aseguramiento Sanitario del Sistema Sanitario Público de la Comunitat Valenciana, la Conselleria de Sanidad acreditará el derecho a las prestaciones del sistema sanitario público de la Comunitat Valenciana, incluyéndose en el grupo «Protección estatal» a las personas que se encuentren en alguna de las siguientes situaciones:

a) Las personas titulares y beneficiarias de los regímenes especiales de la Seguridad Social gestionados por las mutualidades administrativas que hayan optado por recibir las prestaciones sanitarias a través de entidades diferentes a la red sanitaria pública.

b) Los españoles que tengan establecida su residencia en territorio nacional y carezcan de recursos económicos suficientes, en aplicación de lo dispuesto en el Real Decreto 1088/1989, de 8 de septiembre.

c) Los extranjeros que se encuentren en el territorio de la Comunidad Valenciana cuando justifiquen la ausencia de recursos económicos suficientes y no puedan acreditar el requisito de residencia en la misma, en aplicación del Decreto 26/2000, de 22 de febrero, del Gobierno Valenciano.

d) Las Respuestas B y C son correctas.

14.- Según el artículo 9 de la Ley 6/2008, de 2 de junio, de Aseguramiento Sanitario del Sistema Sanitario Público de la Comunitat Valenciana, se incluirá en el grupo «Protección autonómica» a las personas residentes en la Comunidad Valenciana no incluidas en los grupos «Protección estatal», «Desplazados de otra Comunidad Autónoma o País» y «Privados» que estén en alguna de las siguientes situaciones:

a) Afiliados a la Seguridad Social en situación de baja de cotización por cese en la actividad laboral en cualquiera de sus regímenes, y los beneficiarios de los mismos.

b) A todas las mujeres embarazadas, excluidas las embarazadas extranjeras, por estar incluidas en la modalidad de aseguramiento del Grupo 1. «Protección estatal».

c) A los extranjeros que se encuentren en el territorio de la Comunidad Valenciana cuando justifiquen la ausencia de recursos económicos suficientes y no puedan acreditar el requisito de residencia en la misma.
d) Todas las respuestas anteriores son correctas.

15.- Según el artículo 12 de la Ley 6/2008, de 2 de junio, de Aseguramiento Sanitario del Sistema Sanitario Público de la Comunitat Valenciana, las personas incluidas en las modalidades de aseguramiento del grupo 1. «Protección estatal» tendrán derecho a las prestaciones sanitarias que facilita la conselleria de Sanidad, en los términos establecidos por la normativa de la Seguridad Social que les resulte de aplicación. ¿A qué tipo de prestaciones sanitarias tendrán derecho los menores de 18 años que se encuentren en la Comunidad Valenciana en situación de riesgo o bajo tutela o guarda de las Administraciones públicas?

a) A las prestaciones sanitarias con las mismas características que las proporcionadas por el Régimen General de la Seguridad Social a los pensionistas.
b) A las prestaciones sanitarias con las mismas características que la Seguridad Social otorga a los trabajadores en situación de activo.
c) A las prestaciones sanitarias del catálogo de prestaciones del Sistema Nacional de Salud en los términos que contempla la normativa estatal vigente.
d) Ninguna de las respuestas anteriores es correcta.

16.- Según el artículo 12 de la Ley 6/2008, de 2 de junio, de Aseguramiento Sanitario del Sistema Sanitario Público de la Comunitat Valenciana. ¿Qué personas incluidas en las modalidades de aseguramiento del grupo 2: «Protección autonómica» tendrán derecho a las prestaciones sanitarias con las mismas características que las proporcionadas por el Régimen General de la Seguridad Social a los pensionistas?

a) Los afiliados a la Seguridad Social en situación de baja de cotización por cese en la actividad laboral en cualquiera de sus regímenes y los beneficiarios de los mismos.
b) Las mujeres embarazadas no incluidas en la modalidad de aseguramiento del Grupo «Protección estatal».
c) El colectivo de extranjeros que, en función de convenios y otros acuerdos, les sea reconocido el derecho a las prestaciones sanitarias.
d) Los extranjeros que se encuentren en el territorio de la Comunidad Valenciana cuando justifiquen la ausencia de recursos económicos suficientes y no puedan acreditar el requisito de residencia en la misma.

17.- Con respecto a las modalidades de aseguramiento y prestaciones sanitarias del Grupo 3. «Desplazados de otra Comunidad Autónoma o País», la persona no residente en la Comunitat Valenciana, en posesión de la Tarjeta Sanitaria Individual válida y en vigor, emitida por una Administración Sanitaria Autonómica conforme a la normativa estatal vigente o de documento oficial acreditativo de su condición de titular o beneficiario de la prestación de asistencia sanitaria de la Seguridad Social en cualquiera de sus regímenes, incluidos regímenes especiales de Seguridad Social gestionados por las mutualidades administrativas, cuando se haya optado por recibir las prestaciones sanitarias de la red sanitaria pública, tendrá derecho a acceder en la Comunitat Valenciana:

a) A las prestaciones sanitarias del catálogo de prestaciones del Sistema Nacional de Salud en los términos que contempla la normativa estatal vigente.
b) A las prestaciones sanitarias con las mismas características que las proporcionadas por el Régimen General de la Seguridad Social a los pensionistas.

c) A las prestaciones sanitarias con las mismas características que la Seguridad Social otorga a los trabajadores en situación de activo.

d) A las prestaciones sanitarias del Régimen General de la Seguridad Social.

18.- Según el artículo 13 de la Ley 6/2008, de 2 de junio, de Aseguramiento Sanitario del Sistema Sanitario Público de la Comunitat Valenciana, en relación con la financiación de las prestaciones:

a) La Generalitat financiará con cargo a sus Presupuestos todas las prestaciones sanitarias referidas a los grupos de aseguramiento.

b) La financiación de las prestaciones farmacéuticas y ortoprotésicas se realizará de conformidad con lo establecido en la normativa estatal y autonómica sobre esta materia.

c) La Administración Sanitaria Pública Valenciana no podrá reclamar el pago del importe de las prestaciones sanitarias realizadas en aplicación de los reglamentos comunitarios y convenios bilaterales en materia de asistencia sanitaria de la Seguridad Social.

d) Con el fin de garantizar que el acceso a la asistencia sanitaria pública se haga en condiciones de equidad e igualdad efectiva, podrán suscribir convenio de asistencia sanitaria con la Generalitat los ciudadanos españoles o extranjeros no acreditadas ni reconocidas en ninguna de las modalidades de aseguramiento, con los requisitos, procedimientos, cuotas y condiciones que se establezcan por desarrollo reglamentario, siempre que no tengan la condición de residentes en la Comunidad Valenciana.

19.- No es cierto, según el Decreto 149/2009, de 25 de septiembre, del Consell, por el que se regula el convenio de asistencia sanitaria a pacientes privados, que:

a) Las correspondientes cuotas económicas tienen la consideración de precio público.

b) El procedimiento para la suscripción del convenio de asistencia sanitaria a pacientes privados se iniciará a solicitud del interesado, siempre a título individual, siendo voluntaria la permanencia y baja en el mismo.

c) El convenio de asistencia sanitaria a pacientes privados es un instrumento de cobertura de asistencia sanitaria pública alternativo a los establecidos en la normativa estatal de la Seguridad Social, en los reglamentos comunitarios en materia de Seguridad Social y en los convenios bilaterales que en dicha materia estén suscritos por España, para la prestación de asistencia sanitaria de la Seguridad Social por enfermedad común, accidente no laboral y maternidad.

d) Las normas de acceso y utilización de las prestaciones asistenciales sanitarias, farmacéuticas, ortoprotésicas y cualesquiera otras por los beneficiarios de estos convenios serán las mismas que las establecidas para el resto de los usuarios del sistema sanitario público valenciano.

20.- Según la legislación vigente en la Comunidad Valenciana respecto al aseguramiento (señale la incorrecta):

a) La acreditación es necesaria y se iniciará de oficio o a instancia de parte.

b) La acreditación en algunos de los casos será temporal.

c) La acreditación puede renovarse.

d) No tendrá vigencia temporal de la acreditación las modalidades de aseguramiento del Grupo 2. «Protección autonómica».

21.- Según el artículo 16 de la Ley 6/2008, de 2 de junio, de Aseguramiento Sanitario del Sistema Sanitario Público de la Comunitat Valenciana, la vigencia de la acreditación en el SIP de las personas incluidas en el grupo «Desplazados de otra Comunidad Autónoma o País», dependerá de la duración de su estancia y de la validez del documento acreditativo del derecho de acceso

a las prestaciones sanitarias del Sistema Nacional de Salud. También tendrá vigencia temporal las modalidades de aseguramiento:

a) Las modalidades de aseguramiento del Grupo 2. «Protección autonómica».

b) Las personas a quienes resulte de aplicación lo dispuesto en el Real Decreto 1088/1989, de 8 de septiembre, por el que se extiende la cobertura de la asistencia sanitaria de la Seguridad Social a las personas sin recursos económicos suficientes.

c) Los menores de 18 años que se encuentren en la Comunidad Valenciana en situación de riesgo o bajo tutela o guarda de las Administraciones públicas.

d) Todas las respuestas anteriores son ciertas.

22.- Según el artículo 18 de la Ley 6/2008, de 2 de junio, de Aseguramiento Sanitario del Sistema Sanitario Público de la Comunitat Valenciana, la Tarjeta Sanitaria Individual SIP dejará de tener validez:

a) Cuando el uso indebido de la tarjeta conlleve la retención cautelar de la misma.

b) Cuando se emita una nueva tarjeta por cualquier circunstancia.

c) Cuando no sea fiel reflejo de la identificación o de la relación específica de aseguramiento del titular.

d) Las respuestas B y C son ciertas.

23.- La Tarjeta Sanitaria Individual SIP:

a) La tarjeta SIP es un documento de uso personal exclusivo de su titular. Pero no es el único documento válido de identificación y de acreditación del nivel de prestaciones a efectos de asistencia para los ciudadanos de la Comunidad Valenciana.

b) La información contenida en la Tarjeta Sanitaria Individual de la Comunidad Valenciana se extrae de la base de datos desarrollada por el Ministerio de Sanidad y Consumo.

c) El uso indebido de la Tarjeta Sanitaria Individual SIP conllevará la retención cautelar y retirada, en su caso, de la misma, pero no por ello dejará de tener validez.

d) Todas las respuestas anteriores son falsas.

24.- No es cierto que la Tarjeta Sanitaria Individual SIP:

a) Es el documento administrativo emitido por la Administración Pública Valenciana que identifica y acredita al titular de la misma ante los servicios sanitarios públicos del Sistema Nacional de Salud y permite el acceso a las prestaciones del mismo.

b) Se expedirá la Tarjeta Sanitaria Individual SIP a las personas que, figurando de alta en el Sistema de Información Poblacional, estén incluidas en las modalidades de aseguramiento del Grupo 2. «Protección autonómica» y los de la modalidades de aseguramiento del Grupo 3 «Desplazados de otra Comunidad Autónoma o País».

c) En el caso de disparidad de datos, la información existente en el SIP prevalece sobre la que aparezca en la Tarjeta Sanitaria Individual SIP, salvo que el interesado acredite lo contrario.

d) Las Tarjetas Sanitarias Individuales SIP emitidas por la Conselleria de Sanidad no modificarán la obligación de sus titulares o de terceros de asumir el coste de la asistencia sanitaria proporcionada por el sistema sanitario público de la Comunidad Valenciana.

25.- La Tarjeta Sanitaria Individual SIP se entregará:

a) A todos los ciudadanos incluidos en el SIP.

b) A todos los extranjeros que se encuentren en la Comunidad Valenciana, no inscritos en el padrón del municipio en el que residan habitualmente.

c) A todos los extranjeros no empadronados que se encuentren en la Comunidad Valenciana, ante la contracción de enfermedades graves o accidentes.

d) A todas las extranjeras embarazadas que se encuentren en la Comunidad Valenciana.

26.- Según el artículo 19 de la Ley 6/2008, de 2 de junio, de Aseguramiento Sanitario del Sistema Sanitario Público de la Comunitat Valenciana, a los efectos de reconocer y acreditar en el SIP el derecho de acceso a las prestaciones sanitarias del Sistema Nacional de Salud en la Comunidad Valenciana, serán admitidos los siguientes documentos:

a) Documentos expedidos por las entidades gestoras de la Organización General de Trabajo acreditativos del derecho a la asistencia sanitaria de la Seguridad Social.

b) Documentos expedidos por las entidades gestoras de la Seguridad Social acreditativos del derecho a la asistencia sanitaria de la Seguridad Social.

c) Documentos expedidos por las mutualidades no administrativas gestores de los regímenes especiales de la Seguridad Social.

d) En el caso de ciudadanos extranjeros, estar en posesión de la Tarjeta Sanitaria Individual de otra comunidad autónoma, en virtud de convenios bilaterales suscritos por el Estado español con la Comunidad Valenciana en materia de asistencia sanitaria de la Seguridad Social.

27.- A los efectos de reconocer y acreditar en el SIP el derecho de acceso a las prestaciones sanitarias del Sistema Nacional de Salud en la Comunidad Valenciana, los centros sanitarios de la Agencia Valenciana de Salud solicitarán a los usuarios la aportación de los siguientes documentos (señale la opción incorrecta):

a) Tarjeta Sanitaria Individual SIP emitida únicamente por la Conselleria de Sanidad Valenciana.

b) Documentos expedidos por las entidades gestoras de la Seguridad Social acreditativos del derecho a la asistencia sanitaria de la Seguridad Social.

c) Tarjeta sanitaria de los regímenes especiales de la Seguridad Social gestionados por las mutualidades administrativas MUFACE, ISFAS o MUGEJU, donde se especifica si el portador ha optado por la asistencia sanitaria pública o privada.

d) En el caso de ciudadanos extranjeros, estar en posesión de la Tarjeta Sanitaria Europea, Cerificado Provisional Sustitutorio, Formulario E106 o formulario específico previsto en virtud de convenios bilaterales suscritos por el Estado español con terceros países en materia de asistencia sanitaria de la Seguridad Social.

28.- Según el artículo 20 de la Ley 6/2008, de 2 de junio, de Aseguramiento Sanitario del Sistema Sanitario Público de la Comunitat Valenciana, el Documento de Inclusión en el SIP (señale la opción incorrecta):

a) Se crea con el fin de garantizar el correcto acceso a las prestaciones, facilitar la gestión del SIP y del conjunto de sistemas de información corporativos de la Conselleria de Sanidad.

b) Se emite a efectos administrativos, para ser utilizado exclusivamente en la Comunidad Valenciana.

c) Se entregará a las personas registradas de alta en el SIP que no tengan derecho a recibir la Tarjeta Sanitaria Individual.

d) Concede, por sí mismo, derecho a prestaciones sanitarias.

29.- Según el Decreto 26/2000, de 22 de febrero, del Gobierno Valenciano, por el que se establece el derecho a la asistencia sanitaria a ciudadanos extranjeros en la Comunidad Valenciana y crea la Tarjeta Solidaria, una de estas afirmaciones no es cierta con respecto a la Tarjeta Solidaria:

a) Habilita a su titular al derecho a las prestaciones sanitarias con las mismas características que las proporcionadas por el Régimen General de la Seguridad Social a los pensionistas.

b) La obtención de la Tarjeta Solidaria para extranjeros no empadronados se realizará por las unidades de Afiliación y Validación de la Conselleria de Sanidad, una vez recibida la solicitud a través de los trabajadores sociales, tanto de los centros sanitarios como de los Ayuntamientos.

c) Las unidades de Afiliación y Validación expedirán una tarjeta con carácter temporal por un periodo inferior a un año, que podrá ser ampliado cuando se demuestren causas objetivas que hayan podido dificultar el proceso de normalización administrativa.

d) Los datos facilitados por los extranjeros a estos efectos tendrán carácter confidencial y un uso meramente sanitario, estando protegidos conforme a lo regulado en la Ley Orgánica 15/1999, de 13 de diciembre, de Protección de Datos de Carácter Personal.

30.- Según el Decreto 26/2000, de 22 de febrero, del Gobierno Valenciano, por el que se establece el derecho a la asistencia sanitaria a ciudadanos extranjeros en la Comunidad Valenciana y crea la Tarjeta Solidaria, para el reconocimiento del derecho a la asistencia sanitaria a las extranjeras embarazadas, no incluidas en los padrones municipales de la Comunidad Valenciana, el procedimiento administrativo se iniciará:

a) Por el centro de Atención Primaria que corresponda a su domicilio habitual.

b) Por el Servicio de Urgencias del hospital que confirmó el embarazo.

c) Por la interesada, a petición propia, en cualquier servicio/unidad de la Conselleria de Sanidad y organismos dependientes, debiendo aportar el informe médico de confirmación del embarazo.

d) Por la ONG legalmente reconocida en el ámbito sanitario, previo informe de ausencia de medios económicos de la afectada.

Respuestas y comentarios al cuestionario n.º 9

1.- Respuesta correcta: C

La Constitución española de 1978, en su artículo 43, reconoce el derecho a la protección de la salud, y atribuye a los poderes públicos la competencia de organizar y tutelar la salud pública a través de medidas preventivas y de las prestaciones y servicios necesarios.

2.- Respuesta correcta: C

La Ley General de Sanidad tiene por objeto la regulación general de todas las acciones que permitan hacer efectivo el derecho a la protección de la salud reconocido en el artículo 43 y concordantes con la Constitución.

3.- Respuesta correcta: C

La Ley General de Sanidad tiene la condición de norma básica en el sentido previsto en el artículo 149.1.16 de la Constitución y será de aplicación a todo el territorio del Estado, e impone los criterios organizativos básicos y establece las líneas de actuación que habrán de seguir las comunidades autónomas para la creación, organización y funcionamiento de sus Servicios de Salud, de acuerdo con sus Estatutos. Las comunidades autónomas podrán dictar normas de desarrollo y complementarias de la presente Ley en el ejercicio de las competencias que les atribuyen los correspondientes Estatutos de Autonomía.

4.- Respuesta correcta: B

El Sistema Nacional de Salud se concibe como el conjunto de los Servicios de Salud de la Administración del Estado y de las comunidades autónomas, donde se integran todas las funciones y prestaciones sanitarias. La Ley crea el Sistema Nacional de Salud para todo el territorio del Estado con el objeto de integrar todos los recursos sanitarios públicos en una organización única.

5.- Respuesta correcta: D

La Constitución española de 1978, en su artículo 41, afirma que los poderes públicos mantendrán un régimen público de Seguridad Social para todos los ciudadanos que garantice la asistencia y prestaciones sociales suficientes ante situaciones de necesidad, especialmente en caso de desempleo. La asistencia y prestaciones complementarias serán libres.

6.- Respuesta correcta: B

La Ley General de Sanidad consta de 113 artículos, un título preliminar, 7 títulos, 10 disposiciones adicionales, 5 disposiciones transitorias, 2 disposiciones derogatorias y 15 disposiciones finales.

7.- Respuesta correcta: C

La Ley General de Sanidad es de fecha 25 de abril de 1986.

8.- Respuesta correcta: B

Son titulares del derecho a la protección de la salud y a la atención sanitaria todos los españoles y los ciudadanos extranjeros que tengan establecida su residencia en el territorio nacional.

9.- Respuesta correcta: A

La Ley 14/1986, de 25 de abril, General de Sanidad, tiene condición de norma básica en el sentido previsto en el artículo 149.1.16 de la Constitución y será de aplicación a todo el territorio del Estado, excepto los artículos 31, apartado 1, letras b) y c), y 57 a 69, que constituirán derecho supletorio en aquellas comunidades autónomas que hayan dictado normas aplicables a la materia que en dichos preceptos se regula.

10.- Respuesta correcta: A

Las comunidades autónomas podrán dictar normas de desarrollo y complementarias de la Ley General de Sanidad en el ejercicio de las competencias que les atribuyen los correspondientes Estatutos de Autonomía.

11.- Respuesta correcta: B

Los medios y actuaciones del sistema sanitario estarán orientados prioritariamente a la promoción de la salud y a la prevención de las enfermedades.

12.- Respuesta correcta: C

Las actuaciones de las Administraciones públicas sanitarias estarán orientadas: a) A la promoción de la salud; b) A promover el interés individual, familiar y social por la salud mediante la adecuada educación sanitaria de la población; c) A garantizar que cuantas acciones sanitarias se desarrollen estén dirigidas a la prevención de las enfermedades y no solo a la curación de las mismas; d) A garantizar la asistencia sanitaria en todos los casos de pérdida de salud; y e) A promover las acciones necesarias para la rehabilitación funcional y reinserción social del paciente.

13.- Respuesta correcta: D

Las comunidades autónomas crearán sus Servicios de Salud dentro del marco de la Ley General de Sanidad y de sus respectivos Estatutos de Autonomía.

14.- Respuesta correcta: D

La asistencia sanitaria pública se extiende a toda la población española. El acceso y las prestaciones sanitarias se realizarán en condiciones de igualdad efectiva. Tanto el Estado como las comunidades autónomas y las demás Administraciones públicas organizarán y desarrollarán todas las acciones sanitarias dentro de una concepción integral del sistema sanitario.

15.- Respuesta correcta: A

Los servicios sanitarios, así como los administrativos, económicos y cualesquiera otros que sean precisos para el funcionamiento del Sistema de Salud, adecuarán su organización y funcionamiento a los principios de eficacia, celeridad, economía y flexibilidad.

16.- Respuesta correcta: A

Se considera actividad fundamental del Sistema Sanitario Público la realización de estudios epidemiológicos necesarios para orientar con mayor eficacia la prevención de los riesgos para la salud, así como la planificación y evaluación sanitaria, debiendo tener como base un sistema organizado de información sanitaria, vigilancia y acción epidemiológica. Asimismo, se considera actividad básica del sistema sanitario la que pueda incidir sobre el ámbito propio de la Veterinaria de Salud Pública en relación con el control de higiene, la tecnología y la investigación de alimentos, así como la prevención y lucha contra la zoonosis y las técnicas necesarias para la evitación de riesgos en el hombre debido a la vida animal o a sus enfermedades.

17.- Respuesta correcta: D

Todo paciente tiene derecho al respeto a su personalidad, dignidad humana e intimidad, sin que pueda ser discriminado por razón de raza, de tipo social, de sexo, moral, económico, ideológico, político o sindical.

18.- Respuesta correcta: D

Responsabilizarse del uso adecuado de las prestaciones ofrecidas por el sistema sanitario, fundamentalmente en lo que se refiere a la utilización de servicios, procedimientos de baja laboral o incapacidad permanente y prestaciones terapéuticas y sociales, es una obligación del ciudadano con las instituciones y organismos del sistema sanitario.

19.- Respuesta correcta: D

Todos tienen los siguientes derechos con respecto a las distintas Administraciones públicas sanitarias: 1) Al respeto a su personalidad, dignidad humana e intimidad sin que pueda ser discriminado por razones de raza, de tipo social, de sexo, de moral, económico, ideológico, político o sindical; 2) A la información sobre los servicios sanitarios a que puede acceder y sobre los requisitos necesarios para su uso; 3) A la confidencialidad de toda la información relacionada con su proceso y con su estancia en instituciones sanitarias públicas y privadas que colaboren con el sistema público; 4) A ser advertido de si los procedimientos de pronóstico, diagnóstico y terapéuticos que se le apliquen pueden ser utilizados en función de un proyecto docente o de investigación, que, en ningún caso, podrá comportar peligro adicional para su salud. En todo caso será imprescindible la previa autorización y por escrito del paciente y la aceptación por parte del médico y de la Dirección del correspondiente centro sanitario; 5) A que se le asigne un médico, cuyo nombre se le dará a conocer, que será su interlocutor principal con el equipo asistencial. En caso de ausencia, otro facultativo del equipo asumirá tal responsabilidad; 6) A elegir el médico y los demás sanitarios titulados. Los poderes públicos procederán, mediante el correspondiente desarrollo normativo, a la aplicación de la facultad de elección de médico en la atención primaria del Área de Salud. En los núcleos de población de más de 250.000 habitantes se podrá elegir en el conjunto de la ciudad; 7) A participar, a través de las instituciones comunitarias, en las actividades sanitarias, en los términos establecidos en esta Ley y en las disposiciones que la desarrollen; 8) A utilizar las vías de reclamación y de propuesta de sugerencias en los plazos previstos. En uno u otro caso deberá recibir respuesta por escrito en los plazos que reglamentariamente se establezcan; 9) A obtener los medicamentos y productos sanitarios que se consideren necesarios para promover, conservar o restablecer su salud, en los términos que reglamentariamente se establezcan por la Administración del Estado; 10) Una vez superadas las posibilidades de diagnóstico y tratamiento de la atención primaria, los usuarios del Sistema Nacional de Salud tienen derecho, en el marco de su Área de Salud, a ser atendidos en los servicios especializados hospitalarios.

20.- Respuesta correcta: B

Son obligaciones de los ciudadanos con las instituciones y organismos del sistema sanitario: 1) Cumplir las prescripciones generales de naturaleza sanitaria comunes a toda la población, así como las específicas determinadas por los servicios sanitarios; 2) Cuidar las instalaciones y colaborar en el mantenimiento de la habitabilidad de las instituciones sanitarias; y c) Responsabilizarse del uso adecuado de las prestaciones ofrecidas por el sistema sanitario, fundamentalmente en lo que se refiere a la utilización de servicios, procedimientos de baja laboral o incapacidad permanente y prestaciones terapéuticas y sociales.

21.- Respuesta correcta: B

El artículo 12 de la Ley 14/1986, de 25 de abril, General de Sanidad, establece que los poderes públicos orientarán sus políticas de gasto sanitario en orden a corregir desigualdades sanitarias y garantizar la igualdad de acceso a los Servicios Sanitarios Públicos en todo el territorio español, según lo dispuesto en los artículos 9.2 y 158.1 de la Constitución.

22.- Respuesta correcta: C

El Gobierno aprobará las normas precisas para evitar el intrusismo profesional y la mala práctica.

23.- Respuesta correcta: C

En caso de que exista o se sospeche razonablemente la existencia de un riesgo inminente y extraordinario para la salud, las autoridades sanitarias adoptarán las medidas preventivas que estimen pertinentes, tales como la incautación o inmovilización de productos, suspensión del ejercicio de actividades, cierres de empresas o sus instalaciones, intervención de medios materiales y personales y cuantas otras se considere sanitariamente justificadas. La duración de estas medidas, que se fijarán para cada caso, sin perjuicio de las prórrogas sucesivas acordadas por resoluciones motivadas, no excederá de lo que exija la situación de riesgo inminente y extraordinario que las justificó. Asimismo, el artículo 31.2 establece que como consecuencia de las actuaciones de inspección y control, las autoridades sanitarias competentes podrán ordenar la suspensión provisional, prohibición de las actividades y clausura definitiva de los centros y establecimientos, por requerirlo la salud colectiva o por incumplimiento de los requisitos exigidos para su instalación y funcionamiento.

24.- Respuesta correcta: B

Las bases generales sobre calificación, registro y autorización de centro y establecimientos sanitarios serán establecidas por Real Decreto.

25.- Respuesta correcta: B

Según el artículo 33 de la Ley 14/1986, de 25 de abril, General de Sanidad, en ningún caso se impondrá una doble sanción por los mismos hechos y en función de los mismos intereses públicos protegidos, si bien deberán exigirse las demás responsabilidades que se deduzcan de otros hechos o infracciones concurrentes.

26.- Respuesta correcta: D

En los supuestos en que las infracciones pudieran ser constitutivas de delito, la Administración pasará el tanto de culpa a la jurisdicción competente y se abstendrá de seguir el procedimiento sancionador mientras la autoridad judicial no dicte sentencia firme. De no haberse estimado la existencia de delito, la Administración continuará el expediente sancionador tomando como base los hechos que los tribunales hayan considerado probados. Sin embargo, las medidas administrativas que hubieran sido adoptadas para salvaguardar la salud y seguridad de las personas se mantendrán en tanto la autoridad judicial se pronuncie sobre las mismas.

27.- Respuesta correcta: C

Las cometidas por simple negligencia, siempre que la alteración o riesgo sanitario producidos fueren de escasa entidad, es una infracción leve. La resistencia a suministrar datos, facilitar información o prestar colaboración a las autoridades sanitarias o a sus agentes, y la reincidencia en la comisión de infracciones leves, en los últimos tres meses, son infracciones graves. Mientras que la reincidencia en la comisión de faltas graves en los últimos cinco años es considerada infracción muy grave.

28.- Respuesta correcta: A

Las simples irregularidades en la observación de la normativa sanitaria vigente, sin trascendencia directa para la salud pública, es una infracción leve.

29.- Respuesta correcta: B

Las cuantías de las sanciones deberán ser revisadas y actualizadas periódicamente por el Gobierno, por Real Decreto, teniendo en cuenta la variación de los índices de precios para el consumo.

30.- Respuesta correcta: A

Es una competencia exclusiva del Estado la sanidad Exterior.

31.- Respuesta correcta: C

En materia de Seguridad Social, corresponderá a la comunidad autónoma la gestión del régimen económico de la Seguridad Social.

32.- Respuesta correcta: D

Las comunidades autónomas ejercerán las competencias asumidas en sus Estatutos y las que el Estado les transfiera o, en su caso, les delegue.

33.- Respuesta correcta: C

Los Ayuntamientos, sin perjuicio de las competencias de las demás Administraciones públicas, tendrán las siguientes responsabilidades mínimas en relación al obligado cumplimiento de las normas y planes sanitarios: a) Control sanitario del medio ambiente (contaminación atmosférica, abastecimiento de aguas, saneamiento de aguas residuales, residuos urbanos e industriales); b) Control sanitario de industrias, actividades y servicios, transportes, ruidos y vibraciones; c) Control sanitario de edificios y lugares de vivienda y convivencia humana, especialmente de los centros de alimentación, peluquerías, saunas y centros de higiene personal, hoteles y centros residenciales, escuelas, campamentos turísticos y áreas de actividad físico deportivas y de recreo; d) Control sanitario de la distribución y suministro de alimentos, bebidas y demás productos, directa o indirectamente relacionados con el uso o consumo humanos, así como los medios de su transporte; e) Control sanitario de cementerios y policía sanitaria mortuoria.

34.- Respuesta correcta: C

Para el desarrollo de las responsabilidades mínimas en relación al obligado cumplimiento de las normas y planes sanitarios, los Ayuntamientos deberán recabar el apoyo técnico del personal y medios de las Áreas de Salud en cuya demarcación estén comprendidos.

35.- Respuesta correcta: C

Son características fundamentales del Sistema Nacional de Salud: a) la extensión de sus servicios a toda la población; b) la organización adecuada para prestar una atención integral, comprensiva tanto de la promoción de la salud y prevención de la enfermedad como de la curación y rehabilitación; c) la coordinación y, en su caso, la integración de todos los recursos sanitarios públicos en un dispositivo único; d) la financiación de las obligaciones derivadas de la Ley General de Sanidad mediante recursos de las Administraciones públicas, cotizaciones y tasas por la prestación de determinados servicios, y e) la prestación de una atención integral de la salud procurando altos niveles de calidad debidamente evaluados y controlados.

36.- Respuesta correcta: D

La financiación de las obligaciones derivadas de la Ley General de Sanidad se realizará mediante recursos de las Administraciones públicas, cotizaciones y tasas por la prestación de determinados servicios.

37.- Respuesta correcta: A

En cada comunidad autónoma se constituirá un Servicio de Salud integrado por todos los centros, servicios y establecimientos de la propia Comunidad, Diputaciones, Ayuntamientos y cualesquiera otras Administraciones territoriales intracomunitarias, que estará gestionado bajo la responsabilidad de la respectiva comunidad autónoma.

38.- Respuesta correcta: D

Con el fin de articular la participación en el ámbito de las comunidades autónomas, se creará el Consejo de Salud de la comunidad autónoma. En cada área, la comunidad autónoma deberá constituir, asimismo, órganos de participación en los servicios sanitarios.

39.- Respuesta correcta: A

Cada comunidad autónoma elaborará un Plan de Salud que comprenderá todas las acciones sanitarias necesarias para cumplir los objetivos de sus servicios de salud. El Plan de Salud de cada comunidad autónoma, que se ajustará a los criterios generales de coordinación aprobados por el Gobierno, deberá englobar el conjunto de planes de las diferentes Áreas de Salud.

40.- Respuesta correcta: B

La ordenación territorial de los Servicios será competencia de las comunidades autónomas y se basará en la aplicación de un concepto integrado de atención a la salud.

41.- Respuesta correcta: B

Los Servicios de Salud que se creen en las comunidades autónomas se planificarán con criterios de racionalización de los recursos, de acuerdo con las necesidades sanitarias de cada territorio. La base de la planificación será la división de todo el territorio en demarcaciones geográficas.

42.- Respuesta correcta: D

Las Áreas de Salud son las estructuras fundamentales del sistema sanitario, responsabilizadas de la gestión unitaria de los centros y establecimientos del servicio de salud de la comunidad autónoma en su demarcación territorial y de las prestaciones sanitarias y programas sanitarios a desarrollar por ellos.

43.- Respuesta correcta: A

Como regla general, el Área de Salud extenderá su acción a una población no inferior a 200.000 habitantes ni superior a 250.000. Cada provincia tendrá, como mínimo, un Área.

44.- Respuesta correcta: A

El Consejo de Salud de Área es un órgano colegiado de participación comunitaria para la consulta y el seguimiento de la gestión.

45.- Respuesta correcta: C

Los Consejos de Salud de Área estarán constituidos no solo por la representación de los ciudadanos a través de las corporaciones locales comprendidas en su demarcación, sino también por las organizaciones sindicales más representativas, a través de los profesionales sanitarios titulados.

46.- Respuesta correcta: B

La representación de los ciudadanos a través de las corporaciones locales comprendidas en su demarcación supondrá el 50 % de sus miembros.

47.- Respuesta correcta: D

La aprobación del proyecto del Plan de Salud del Área, dentro de las normas, directrices y programas generales establecidos por la comunidad autónoma, es una de las funciones del Consejo de Dirección del Área.

48.- Respuesta correcta: A

Será función del Consejo de Salud de Área conocer e informar la memoria anual del Área de Salud.

49.- Respuesta correcta: C

El Consejo de Dirección estará formado, además de los integrantes de la comunidad autónoma, por los representantes de las corporaciones locales, elegidos por quienes ostenten tal condición en el Consejo de Salud de Área.

50.- Respuesta correcta: D

El Consejo de Dirección estará formado por la representación de la comunidad autónoma, que supondrá el 60 % de los miembros de aquél.

51.- Respuesta correcta: A

Conocer e informar la memoria anual del Área de Salud, es función del Consejo de Salud de Área.

52.- Respuesta correcta: C

Al Consejo de Dirección de Área le corresponde la aprobación de las prioridades específicas del Área de Salud.

53.- Respuesta correcta: A

El gerente del Área de Salud es el órgano de gestión de la misma.

54.- Respuesta correcta: D

El gerente del Área de Salud es el órgano de gestión de la misma. Podrá, previa convocatoria, asistir con voz, pero sin voto, a las reuniones del Consejo de Dirección de Área.

55.- Respuesta correcta: B

El gerente del Área de Salud será nombrado y cesado por la Dirección del Servicio de Salud de la comunidad autónoma, a propuesta del Consejo de Dirección del Área.

56.- Respuesta correcta: A

En la delimitación de las zonas básicas deberán tenerse en cuenta: a) las distancias máximas de las agrupaciones de población más alejadas de los servicios y el tiempo normal a invertir en su recorrido usando los medios ordinarios; b) el grado de concentración o dispersión de la población; c) las características epidemiológicas de la zona; y d) las instalaciones y recursos sanitarios de la zona.

57.- Respuesta correcta: B

Las Áreas de Salud se dividen en zonas básicas de salud, para conseguir la máxima operatividad y eficacia en el funcionamiento de los servicios a nivel primario.

58.- Respuesta correcta: A

La zona básica de salud es el marco territorial de la Atención Primaria, donde desarrollan las actividades sanitarias los centros de salud.

59.- Respuesta correcta: B

Los centros de salud, centros integrales de Atención Primaria, desarrollarán de forma integrada y mediante el trabajo en equipo todas las actividades encaminadas a la promoción, prevención, curación y rehabilitación de la salud, tanto individual como colectiva, de los habitantes de la zona básica.

60.- Respuesta correcta: B

El artículo 63 de la Ley General de Sanidad define centro de salud como centros integrales de Atención Primaria. Como medio de apoyo para desarrollar la actividad preventiva, existirá un Laboratorio de Salud encargado de realizar las determinaciones de los análisis higiénico-sanitarios del medio ambiente, higiene alimentaria y zoonosis.

61.- Respuesta correcta: B

El centro de salud tendrá las siguientes funciones: 1) Albergar la estructura física de consultas y servicios asistenciales personales correspondientes a la población en que se ubica; 2) Albergar los recursos materiales precisos para la realización de las exploraciones complementarias de que se pueda disponer en la zona; 3) Servir como centro de reunión entre la comunidad y los profesionales sanitarios; 4) Facilitar el trabajo en equipo de los profesionales sanitarios de la zona; y 5) Mejorar la organización administrativa de la atención de salud en su zona de influencia.

62.- Respuesta correcta: D

Cada Área de Salud dispondrá, al menos, de un hospital general con los servicios que aconseje la población a asistir, la estructura de ésta y los problemas de salud. El hospital es el establecimiento encargado tanto del internamiento clínico como de la asistencia especializada y complementaria que requiera su zona de influencia. En el hospital, además de las tareas estrictamente asistenciales, se desarrollarán actividades de promoción de salud, prevención de las enfermedades, e investigación y docencia, con objeto de complementar sus actividades con las desarrolladas por la red de atención primaria.

63.- Respuesta correcta: C

El sector privado vinculado mantendrá la titularidad de centros y establecimientos dependientes del mismo, así como la titularidad de las relaciones laborales del personal que en ellos preste sus servicios.

64.- Respuesta correcta: C

Los médicos y demás profesionales titulados del centro deberán participar en los órganos encargados de la evaluación de la calidad asistencial del mismo.

65.- Respuesta correcta: C

El Estado y las comunidades autónomas podrán establecer planes de salud conjuntos. Cuando estos planes conjuntos impliquen a todas las comunidades autónomas, se formularán en el seno del Consejo Interterritorial del Sistema Nacional de Salud.

66.- Respuesta correcta: D

El Plan Integrado de Salud, que deberá tener en cuenta los criterios de coordinación general sanitaria elaborados por el Gobierno, recogerá en un documento único los Planes de salud estatales, los Planes de salud de las comunidades autónomas y los Planes conjuntos. Asimismo relacionará las asignaciones que realizar por las diferentes Administraciones públicas y las fuentes de su financiación. El Plan Integrado de Salud provisional será elevado al Consejo Interterritorial del Sistema Nacional de Salud, que podrá hacer las observaciones y recomendaciones que estime pertinentes. Sometido al Consejo Interterritorial del Sistema Nacional de Salud, el Plan se entenderá que ha adquirido su forma definitiva.

67.- Respuesta correcta: D

El Plan Integrado de Salud tendrá el plazo de vigencia que en el mismo se determine.

68.- Respuesta correcta: B

Las Administraciones públicas, a los efectos de establecimiento de conciertos, darán prioridad, cuando existan análogas condiciones de eficacia, calidad y costes, a los establecimientos, centros y servicios sanitarios de los que sean titulares entidades que tengan carácter no lucrativo.

69.- Respuesta correcta: C

La concesión de estas ayudas y su aceptación por la entidad titular del centro o establecimiento sanitario estará sometida a las inspecciones y controles necesarios para comprobar que los fondos públicos han sido aplicados a la realización de la actividad para la que fueron concedidos y que su aplicación ha sido gestionada técnica y económicamente de forma correcta.

70.- Respuesta correcta: C

Las funciones de Alta Inspección se ejercerán por los órganos del Estado competentes en materia de sanidad (Ministerio de Sanidad y Consumo). El Estado comunicará cualquier incumplimiento por parte de la comunidad autónoma a través del Delegado del Gobierno. Las decisiones que adopte la Administración del Estado en ejercicio de sus competencias de Alta Inspección se comunicarán siempre al máximo órgano responsable del servicio de salud de cada comunidad autónoma.

71.- Respuesta correcta: A

La Ley 14/2007, de 3 de julio, de investigación biomédica, deroga el Título VII (Instituto de Salud Carlos III) de la Ley 14/1986, de 25 de abril, General de Sanidad.

72.- Respuesta correcta: A

El Consejo Interterritorial del Sistema Nacional de Salud está integrado por representantes de las comunidades autónomas y por representantes de la Administración del Estado.

73.- Respuesta correcta: D

El Consejo Interterritorial del Sistema Nacional de Salud elevará anualmente una memoria de las actividades desarrolladas al Senado.

74.- Respuesta correcta: D

El Consejo Interterritorial ejercerán sus funciones sin menoscabo de las competencias legislativas de las Cortes Generales y, en su caso, normativas de la Administración General del Estado, así como de las competencias de desarrollo normativo, ejecutivas y organizativas de las comunidades autónomas.

75.- Respuesta correcta: D

Son funciones del Consejo Interterritorial, entre otras, el desarrollo de la cartera de servicios correspondiente al Catálogo de Prestaciones del Sistema Nacional de Salud, así como su actualización;

el establecimiento de prestaciones sanitarias complementarias a las prestaciones básicas del Sistema Nacional de Salud por parte de las comunidades autónomas; los servicios de referencia del Sistema Nacional de Salud; los criterios básicos y condiciones de las convocatorias de profesionales que aseguren su movilidad en todo el territorio del Estado; los criterios, sistemas y medios de relación que permitan la información recíproca en el Sistema Nacional de Salud, así como los criterios de seguridad y accesibilidad del sistema de información; los criterios para la elaboración y evaluación de las políticas de calidad elaboradas para el conjunto del Sistema Nacional de Salud; la aprobación de los planes integrales; o los criterios generales sobre financiación pública de medicamentos y productos sanitarios y sus variables.

Respuestas y comentarios al cuestionario n.º 10

1.- Respuesta correcta: C

El Convenio del Consejo de Europa para la protección de los derechos humanos y la dignidad del ser humano respecto de las aplicaciones de la biología y la medicina (Convenio sobre los derechos del hombre y la biomedicina), suscrito el día 4 de abril de 1997, y que entró en vigor en España el 1 de enero de 2000, trata explícitamente, con detenimiento y extensión, sobre la necesidad de reconocer los derechos de los pacientes, entre los cuales resaltan el derecho a la información, el consentimiento informado y la intimidad de la información relativa a la salud de las personas, persiguiendo el alcance de una armonización de las legislaciones de los diversos países en estas materias.

2.- Respuesta correcta: D

Los pacientes o usuarios tienen el deber de facilitar los datos sobre su estado físico o sobre su salud de manera leal y verdadera, así como el de colaborar en su obtención, especialmente cuando sean necesarios por razones de interés público o con motivo de la asistencia sanitaria.

3.- Respuesta correcta: B

Según la Ley 41/2002, de 14 de noviembre, básica reguladora de la autonomía del paciente, usuario es la persona que utiliza los servicios sanitarios de educación y promoción de la salud, de prevención de enfermedades y de información sanitaria. En cambio, paciente sería la persona que requiere asistencia sanitaria y está sometida a cuidados profesionales para el mantenimiento o recuperación de su salud.

4.- Respuesta correcta: D

Los pacientes tienen derecho a conocer, con motivo de cualquier actuación en el ámbito de su salud, toda la información disponible sobre la misma, salvando los supuestos exceptuados por la Ley. Además, toda persona tiene derecho a que se respete su voluntad de no ser informada. La información, que como regla general se proporcionará verbalmente dejando constancia en la historia clínica, comprende, como mínimo, la finalidad y la naturaleza de cada intervención, sus riesgos y sus consecuencias.

5.- Respuesta correcta: A

El médico responsable del paciente le garantiza el cumplimiento de su derecho a la información. Los profesionales que le atiendan durante el proceso asistencial o le apliquen una técnica o un procedimiento concreto también serán responsables de informarle.

6.- Respuesta correcta: B

El titular del derecho a la información es el paciente. También serán informadas las personas vinculadas a él, por razones familiares o de hecho, en la medida que el paciente lo permita de manera expresa o tácita. El paciente será informado, incluso en caso de incapacidad, de modo adecuado a sus posibilidades de comprensión, cumpliendo con el deber de informar también a su representante legal. Cuando el paciente, según el criterio del médico que le asiste, carezca de capacidad para entender la información a causa de su estado físico o psíquico, la información se pondrá en conocimiento de las personas vinculadas a él por razones familiares o de hecho. El derecho a la información sanitaria de los pacientes puede limitarse por la existencia acreditada de un estado de necesidad terapéutica. Se entenderá por necesidad terapéutica la facultad del médico para actuar profesionalmente sin informar antes al paciente, cuando por razones objetivas el conocimiento de su propia situación pueda perjudicar su salud de manera grave. Llegado este caso, el médico dejará constancia razonada de las circunstancias en la historia clínica y comunicará su decisión a las personas vinculadas al paciente por razones familiares o de hecho.

7.- Respuesta correcta: D

Los centros sanitarios adoptarán las medidas oportunas para garantizar el derecho a la intimidad, y elaborarán, cuando proceda, las normas y los procedimientos protocolizados que garanticen el acceso legal a los datos de los pacientes.

8.- Respuesta correcta: B

El consentimiento será verbal por regla general. Sin embargo, se prestará por escrito en los casos siguientes: intervención quirúrgica, procedimientos diagnósticos y terapéuticos invasores y, en general, aplicación de procedimientos que suponen riesgos o inconvenientes de notoria y previsible repercusión negativa sobre la salud del paciente.

9.- Respuesta correcta: A

El paciente puede revocar libremente por escrito su consentimiento en cualquier momento.

10.- Respuesta correcta: D

El consentimiento, que debe obtenerse después de que el paciente reciba una información adecuada, puede ser verbal, siempre que no comporte intervención quirúrgica, procedimientos diagnósticos y terapéuticos invasores. El consentimiento será verbal por regla general. Pero se prestará por escrito cuando se encuentre comprometida una intervención quirúrgica, unos procedimientos diagnósticos y terapéuticos invasores, o cualquier aplicación de procedimientos que suponen riesgos o inconvenientes de notoria y previsible repercusión negativa sobre la salud del paciente.

11.- Respuesta correcta: A

La renuncia del paciente a recibir información está limitada por el interés de la salud del propio paciente, de terceros, de la colectividad y por las exigencias terapéuticas del caso.

12.- Respuesta correcta: D

Los facultativos podrán llevar a cabo las intervenciones clínicas indispensables en favor de la salud del paciente, sin necesidad de contar con su consentimiento, en los siguientes casos: a) Cuando existe riesgo para la salud pública a causa de razones sanitarias establecidas por la Ley. En todo caso, una vez adoptadas las medidas pertinentes, de conformidad con lo establecido en la Ley Orgánica 3/1986, se comunicarán a la autoridad judicial en el plazo máximo de 24 horas siempre que dispongan el internamiento obligatorio de personas; b) Cuando existe riesgo inmediato grave para la integridad física o psíquica del enfermo y no es posible conseguir su autorización, consultando, cuando las circunstancias lo permitan, a sus familiares o a las personas vinculadas de hecho a él.

13.- Respuesta correcta: C

Cuando se trate de menores no incapaces ni incapacitados, pero emancipados o con dieciséis años cumplidos, no cabe prestar el consentimiento por representación. Sin embargo, en caso de actuación de grave riesgo, según el criterio del facultativo, los padres serán informados y su opinión será tenida en cuenta para la toma de la decisión correspondiente.

14.- Respuesta correcta: D

El facultativo proporcionará al paciente, antes de recabar su consentimiento escrito, la información básica siguiente: a) Las consecuencias relevantes o de importancia que la intervención origina con seguridad. b) Los riesgos relacionados con las circunstancias personales o profesionales del paciente. c) Los riesgos probables en condiciones normales, conforme a la experiencia y al estado de la ciencia o directamente relacionados con el tipo de intervención. d) Las contraindicaciones.

15.- Respuesta correcta: C

Por el documento de instrucciones previas, una persona mayor de edad, capaz y libre, manifiesta anticipadamente su voluntad, con objeto de que esta se cumpla en el momento en que llegue a situaciones en cuyas circunstancias no sea capaz de expresarlos personalmente, sobre los cuidados y el tratamiento de su salud o, una vez llegado el fallecimiento, sobre el destino de su cuerpo o de los órganos del mismo. El otorgante del documento puede designar, además, un representante para que, llegado el caso, sirva como interlocutor suyo con el médico o el equipo sanitario para procurar el cumplimiento de las instrucciones previas.

16.- Respuesta correcta: B

Cada Servicio de Salud regulará el procedimiento adecuado para que, llegado el caso, se garantice el cumplimiento de las instrucciones previas de cada persona, que deberán constar siempre por escrito.

17.- Respuesta correcta: D

Las historias clínicas son documentos confidenciales; deberán ser normalizadas en cuanto a su estructura física y lógica con el objeto de facilitar su uso por el personal sanitario para la mejor atención al paciente, servir a los propósitos educativos y de los programas de investigación y permitir la obtención de información con fines administrativos, estadísticos y de evaluación de calidad.

18.- Respuesta correcta: C

Las comunidades autónomas regularán el procedimiento para que quede constancia del acceso a la historia clínica y de su uso.

19.- Respuesta correcta: B

La gestión de la historia clínica por los centros con pacientes hospitalizados, o por los que atiendan a un número suficiente de pacientes bajo cualquier otra modalidad asistencial, según el criterio de los

Servicios de Salud, se realizará a través de la Unidad de Admisión y Documentación Clínica, encargada de integrar en un solo archivo las historias clínicas. Asimismo, la custodia de dichas historias clínicas estará bajo la responsabilidad de la dirección del centro sanitario.

20.- Respuesta correcta: A

El paciente tiene el derecho de acceso, con ciertas limitaciones, a la documentación de la historia clínica y a obtener copia de los datos que figuran en ella. El derecho al acceso del paciente a la documentación de la historia clínica no puede ejercitarse en perjuicio del derecho de terceras personas a la confidencialidad de los datos que constan en ella recogidos en interés terapéutico del paciente, ni en perjuicio del derecho de los profesionales participantes en su elaboración, los cuales pueden oponer al derecho de acceso la reserva de sus anotaciones subjetivas.

Respuestas y comentarios al cuestionario n.º 11

1.- Respuesta correcta: C

La Ley 41/2002, de 14 de noviembre, básica reguladora de la autonomía del paciente y de derechos y obligaciones en materia de información y documentación clínica, tiene el objetivo de proporcionar una clara definición de los derechos y obligaciones de los pacientes, potenciando a su vez la participación activa de los profesionales y de las instituciones sanitarias para lograr una asistencia, promoción, prevención y rehabilitación cada vez mejores y más humanas, en beneficio de la salud y la calidad de vida de los ciudadanos. De este modo, el Título II recoge una relación completa de los derechos de los pacientes como base de cualquier actuación sanitaria, y el Título IX recoge las obligaciones de los pacientes, reconociendo de este modo la responsabilidad de una sociedad madura en el cuidado de la salud individual y colectiva.

2.- Respuesta correcta: B

El Convenio sobre los derechos del hombre y la biomedicina, suscrito el día 4 de abril de 1997 y que entró en vigor en España el 1 de enero de 2000, trata explícitamente, con detenimiento y extensión, sobre la necesidad de reconocer los derechos de los pacientes, entre los cuales resaltan el derecho a la información, el consentimiento informado y la intimidad de la información relativa a la salud de las personas, persiguiendo el alcance de una armonización de las legislaciones de los diversos países en estas materias.

3.- Respuesta correcta: C

Firmar el documento de alta voluntaria cuando no desee recibir el tratamiento que se le ha prescrito, especialmente cuando se trate de pruebas diagnósticas, medidas preventivas o tratamientos especialmente relevantes para su salud, es una obligación del usuario de la sanidad,

4.- Respuesta correcta: B

Disponer de la tarjeta SIP, y en su caso la Tarjeta Solidaria en las condiciones que se establezcan normativamente, como documento de naturaleza personal e intransferible acreditativa del derecho a la prestación sanitaria en el ámbito de la Comunidad Valenciana, es un derecho de los pacientes en la Comunidad Valenciana.

5.- Respuesta correcta: D

Facilitar de forma leal y verdadera los datos sobre su estado físico o sobre su salud, así como sus datos de identificación y los necesarios para un mejor proceso asistencial o por razones de interés general, constituye una obligación del usuario de la sanidad.

6.- Respuesta correcta: C

Obtener, dentro de las posibilidades presupuestarias de la Conselleria de Sanidad, una habitación individual para garantizar la mejora del servicio y el derecho a la intimidad y confidencialidad de cada usuario, es un derecho que tiene todo paciente en la Comunidad Valenciana.

7.- Respuesta correcta: D

Según la Orden de 26 de diciembre de 1989, de la Conselleria de Sanidad, por la que se establece la obligatoriedad de la existencia de la Guía del Usuario en los hospitales públicos, la guía o carta irá prologada por una breve carta de presentación, firmada por el gerente o en su defecto por la Dirección del hospital.

8.- Respuesta correcta: D

La Conselleria de Sanidad informará con carácter periódico del análisis epidemiológico de las distintas áreas de salud.

9.- Respuesta correcta: A

La información debe formar parte de todas las actuaciones asistenciales. La información será veraz, fácilmente comprensible y adecuada a las necesidades y los requerimientos del paciente, con el objeto de ayudarle a tomar decisiones sobre su salud.

10.- Respuesta correcta: C

El paciente es el único titular del derecho a la información. La información que se dé a sus familiares o persona que le represente legalmente, será la que él previamente haya autorizado expresa o tácitamente. Cuando a criterio del médico, el paciente esté incapacitado, de manera temporal o permanente, para comprender la información, se le dará aquella que su grado de comprensión permita, debiendo informarse también a sus familiares, tutores o personas a él allegadas. En el caso de menores, se les dará información adaptada a su grado de madurez y, en todo caso, a los mayores de doce años, y deberá informarse plenamente a los padres o tutores que podrán estar presentes durante el acto informativo a los menores. Los menores emancipados y los mayores de dieciséis años son los titulares del derecho a la información.

11.- Respuesta correcta: A

Constituirá una excepción al derecho a la información sanitaria de los enfermos la existencia acreditada de una necesidad terapéutica. Se entenderá por necesidad terapéutica la facultad del médico para actuar profesionalmente sin informar antes al paciente, cuando —por razones objetivas— el conocimiento de su propia situación pueda perjudicar su salud de forma grave.

12.- Respuesta correcta: C

Se entiende por consentimiento informado la conformidad expresa del paciente, manifestada por escrito, previa la obtención de la información adecuada con tiempo suficiente, claramente comprensible para él, ante una intervención quirúrgica, procedimiento diagnóstico o terapéutico invasivo y en general siempre que se lleven a cabo procedimientos que conlleven riesgos relevantes para la salud. El consentimiento debe ser específico para cada intervención diagnóstica o terapéutica que conlleve riesgo relevante para la salud del paciente y deberá recabarse por el médico responsable de las mismas.

13.- Respuesta correcta: D

El consentimiento informado se otorgará por sustitución en los siguientes supuestos: 1) Cuando el paciente esté circunstancialmente incapacitado para tomarlas, por los familiares o miembro de unión de hecho, y en su defecto por las personas allegadas; 2) Cuando el paciente sea menor de edad o se trate de un incapacitado legalmente, el derecho corresponde a sus padres o representante legal.

14.- Respuesta correcta: B

En el caso de los familiares, tendrá preferencia el cónyuge no separado legalmente; en su defecto, el familiar de grado más próximo y, dentro del mismo grado, el de mayor edad. Si el paciente hubiera designado previamente una persona, a efectos de la emisión en su nombre del consentimiento informado, corresponderá a ella la preferencia.

15.- Respuesta correcta: A

Todo paciente o usuario tiene derecho a negarse al tratamiento, excepto en los casos determinados por la Ley. Son situaciones de excepción a la exigencia del consentimiento las siguientes: a) Cuando la no intervención suponga un riesgo para la salud pública, según determinen las autoridades sanitarias; b) Cuando el paciente no esté capacitado para tomar decisiones y no existan familiares, personas allegadas o representante legal, o estos últimos se negasen injustificadamente a prestarlo de forma que ocasionen un riesgo grave para la salud del paciente y siempre que se deje constancia por escrito de estas circunstancias; c) Ante una situación de urgencia que no permita demoras por existir el riesgo de lesiones irreversibles o de fallecimiento y la alteración del juicio del paciente no permita obtener su consentimiento. En estos supuestos, se pueden llevar a cabo las intervenciones indispensables desde el punto de vista clínico a favor de la salud de la persona afectada. Tan pronto como se haya superado la situación de urgencia, deberá informarse al paciente, sin perjuicio de que mientras tanto se informe a sus familiares y allegados.

16.- Respuesta correcta: B

La información se facilitará con la antelación suficiente para que el paciente pueda reflexionar con calma y decidir libre y responsablemente. Y en todo caso, al menos veinticuatro horas antes del procedimiento correspondiente, siempre que no se trate de actividades urgentes. La información deberá incluir: 1) Identificación y descripción del procedimiento; 2) Objetivo del mismo; 3) Beneficios que se esperan alcanzar; 4) Alternativas razonables a dicho procedimiento; 5) Consecuencias previsibles de su realización; 6) Consecuencias previsibles de la no realización; 7) Riesgos frecuentes; 8) Riesgos poco frecuentes, cuando sean de especial gravedad y estén asociados al procedimiento por criterios científicos; 9) Riesgos y consecuencias en función de la situación clínica personal del paciente y con sus circunstancias personales o profesionales.

17.- Respuesta correcta: A

La composición de la Comisión de Consentimiento Informado será determinada mediante Decreto del Gobierno Valenciano.

18.- Respuesta correcta: C

La Comisión de Consentimiento Informado se reunirá, al menos, dos veces al año, y siempre que la convoque su presidente.

19.- Respuesta correcta: B

La Comisión de Consentimiento Informado, le corresponden las siguientes funciones: 1) Revisión, actualización y publicación periódica de una guía de formularios de referencia de consentimiento informado; 2) Prestar asesoramiento a los órganos de la Conselleria de Sanidad en las materias relacionadas con sus funciones; 3) Conocimiento de la implantación de los formularios en las distintas instituciones sanitarias; 4) Todas aquellas que le sean atribuidas por normas de carácter legal o reglamentario.

20.- Respuesta correcta: C

El documento se formalizará en escritura pública ante notario o por escrito ante tres testigos. Ante notario (en este supuesto no será necesaria la presencia de testigos). Ante tres testigos, mayores de edad y con plena capacidad de obrar, de los cuales dos, como mínimo, no tendrán relación de parentesco hasta el segundo grado ni vinculación patrimonial con el otorgante. Cualquier otro procedimiento que sea establecido legalmente.

21.- Respuesta correcta: B

En el capítulo II de la Ley 1/2003, de Derechos e Información al Paciente de la Comunidad Valenciana, se regula, por primera vez en la Comunidad Valenciana, el derecho de los pacientes a emitir voluntades anticipadas, que serán recogidas en el documento conocido vulgarmente como testamento vital, facultando de este modo al paciente a anticipar su voluntad sobre la atención clínica que desea recibir, en el supuesto de que las circunstancias de su salud no le permita más adelante decidir por sí mismo, y siempre con el máximo respeto a la vida y la dignidad de la persona.

22- Respuesta correcta: C

Podrá ser representante cualquier persona mayor de edad, que no haya sido incapacitada legalmente, salvo las siguientes personas: 1) El notario autorizante del Documento de Voluntades Anticipadas; 2) el funcionario o empleado público encargado del Registro de Voluntades Anticipadas de la Comunidad Valenciana; 3) Los testigos ante los que se formalice el Documento de Voluntades Anticipadas; 4) El personal sanitario que debe aplicar las voluntades anticipadas; y 5) en el ámbito de la sanidad privada, el personal con relación contractual, de servicio o análoga, con la entidad privada de seguro médico.

23.- Respuesta correcta: D

El Documento de Voluntades Anticipadas es el documento mediante el que una persona mayor de edad o menor emancipada, con capacidad legal suficiente y libremente, manifiesta las instrucciones que sobre las actuaciones médicas se deben tener en cuenta cuando se encuentre en una situación en la que las circunstancias que concurran no le permitan expresar libremente su voluntad.

24.- Respuesta correcta: D

Las notarías de la Comunidad Valenciana que así lo soliciten a la Conselleria de Sanidad, podrán registrar los Documentos de Voluntades Anticipadas otorgados ante ellos accediendo telemáticamente al Registro Centralizado de Voluntades Anticipadas mediante el correspondiente certificado digital reconocido expedido por ANCERT (Autoridad Notarial de Certificación), por ACCV (Autoridad de Certificación de la Comunidad Valenciana), o por cualquier prestador de servicios de certificación con el que la Generalitat Valenciana haya establecido el oportuno convenio de reconocimiento.

25.- Respuesta correcta: D

El Registro Centralizado de Documentos de Voluntades Anticipadas deberá custodiar los documentos inscritos hasta pasados cinco años del fallecimiento del otorgante. Transcurrido dicho plazo, se procederá a su destrucción.

26.- Respuesta correcta: C

El informe de alta médica es el documento emitido por el médico responsable en un centro sanitario al finalizar cada proceso asistencial de un paciente, con los siguientes contenidos mínimos: los datos de éste, un resumen de su historial clínico, la actividad asistencial prestada, el diagnóstico y las recomendaciones terapéuticas.

27.- Respuesta correcta: C

El hecho de no aceptar el tratamiento prescrito no dará lugar a un alta forzosa cuando haya tratamientos alternativos, aunque tengan carácter paliativo y el paciente acepte recibirlos.

28.- Respuesta correcta: C

La historia clínica deberá realizarse bajo criterios de unidad e integración en todos los centros y servicios sanitarios, donde existirá una única historia por paciente, con el fin de facilitar en cualquier momento del proceso asistencial el conocimiento de todos los datos de un determinado paciente. Los centros sanitarios dispondrán de un modelo normalizado de historia clínica, adaptados al nivel asistencial y la clase de prestación que se realice.

29.- Respuesta correcta: A

La historia clínica incluirá los siguientes datos mínimos: a) Identificación de la institución, del centro, número de tarjeta SIP, si procede, número de historia clínica y nota indicativa de las características de confidencialidad que contiene; b) Datos suficientes para la identificación del paciente; c) Datos clínico-asistenciales; d) Datos sociales.

30.- Respuesta correcta: D

La hoja de voluntades anticipadas forma parte de los datos clínico asistenciales, al igual que el documento de Consentimiento Informado, el informe de alta o el documento firmado de alta voluntaria, si lo hubiere.

31.- Respuesta correcta: C

Para garantizar los usos de la historia clínica, especialmente el asistencial, se conservarán los documentos como mínimo cinco años a partir de la fecha del último episodio asistencial en el que el paciente haya sido atendido o desde su fallecimiento. Aquellos documentos especialmente relevantes se conservarán indefinidamente o por el tiempo que fije la normativa vigente al respecto. Las historias clínicas que sean prueba en un proceso judicial o procedimiento administrativo se conservarán hasta la finalización del mismo.

32.- Respuesta correcta: D

Las historias clínicas son documentos confidenciales propiedad de la Administración sanitaria o entidad titular del centro sanitario cuando el médico trabaje por cuenta ajena y bajo la dependencia de una institución sanitaria. Los profesionales sanitarios que desarrollen su actividad de manera individual, son propietarios de la historia clínica.

33.- Respuesta correcta: A

Los profesionales asistenciales del centro implicados en el diagnóstico o el tratamiento del enfermo tendrán libre acceso a su historia clínica. La historia clínica estará disponible, con absoluta garantía del derecho a la intimidad personal y familiar, a efectos de inspección sanitaria, para las actividades de evaluación, acreditación y comprobación del cumplimiento de los derechos del paciente, y otras debidamente motivadas por la autoridad sanitaria y que tengan por finalidad contribuir a la mejora de la calidad asistencial. En estos supuestos el acceso a la historia clínica estará limitado a la información relacionada con tales fines. Igualmente, el personal encargado de tareas administrativas y de gestión de los centros sanitarios podrá acceder exclusivamente a los datos de la historia clínica relacionados con dichas funciones.

34.- Respuesta correcta: C

El paciente tendrá derecho a acceder a todos los documentos y datos de su historia clínica. El derecho de acceso conllevará el de obtener copias de los mencionados documentos. Este acceso nunca será en perjuicio del derecho de terceros a la confidencialidad de sus datos que figuren en ella. Por tanto, el derecho al acceso del paciente a la documentación de la historia clínica no podrá ejercitarse en perjuicio del derecho de terceras personas a la confidencialidad de los datos que constan en ella recogidos en interés terapéutico del paciente, ni en perjuicio del derecho de los profesionales participantes en su elaboración, los cuales podrán oponer al derecho de acceso la reserva de sus anotaciones subjetivas.

35.- Respuesta correcta: B

En el caso de pacientes fallecidos, solo se facilitará el acceso a la historia clínica a los familiares más allegados o miembro de la unión de hecho, salvo en el supuesto de que el fallecido lo hubiese prohibido expresamente, constituyéndose el centro sanitario en garante de la información. No se facilitará, en ningún caso, información que afecte a la intimidad del finado, ni los datos que perjudiquen a terceros.

36.- Respuesta correcta: D

Los ciudadanos de la Comunidad Valenciana podrán realizar también manifestaciones de agradecimiento cuando la labor del profesional, el equipo y el centro asistencial que les ha atendido, a su juicio lo merece, debiendo llegar esta manifestación de agradecimiento a los profesionales que la han merecido.

37.- Respuesta correcta: C

La Ley 1/2003, crea el Consejo Asesor de Bioética de la Comunidad Valenciana, adscrito a la Conselleria de Sanidad, y los comités de Bioética Asistencial, con el objeto de proteger los derechos de los pacientes, de dilucidar aspectos de carácter ético relacionados con la práctica asistencial, poder establecer modalidades asistenciales y nuevas tecnologías, fomentar el sentido de la ética en todos los estamentos sanitarios y organizaciones sociales o desarrollar otro tipo de actividades relacionadas con la bioética y asesorar en la adopción de decisiones éticas complejas.

38.- Respuesta correcta: D

Todos los profesionales sanitarios tienen el deber de cooperar en la creación y en el mantenimiento de una documentación clínica ordenada, que refleje, con las secuencias necesarias en el tiempo, la evolución del proceso asistencial del paciente. Los centros sanitarios, generadores de sus propias historias clínicas, por medio de los médicos documentalistas, tienen la obligación de conservar la documentación clínica en condiciones que garanticen su correcto mantenimiento, confidencialidad y seguridad. En cualquier caso, la conservación de la documentación clínica deberá garantizar la preservación de la información y no necesariamente del soporte original.

39.- Respuesta correcta: C

La hoja de informe de alta se conservará indefinidamente utilizando el soporte más adecuado que garantice esta correcta conservación. Su contenido mínimo será el siguiente: a) Datos de identificación y ubicación o procedencia del paciente; b) Domicilio del paciente; c) Fecha y motivo del alta; d) Informe según pauta indicativa; e) Diagnóstico principal y diagnósticos secundarios; f) Intervenciones realizadas al paciente; g) Destino del paciente y fecha, nombre y firma del médico responsable.

40.- Respuesta correcta: D

Radiología convencional en soporte placa: las placas podrán destruirse a partir de los cinco años de la fecha del último episodio asistencial en que el paciente haya sido atendido en el hospital. Los informes radiológicos se conservarán indefinidamente, utilizando el soporte más adecuado que garantice esta correcta conservación.

41.- Respuesta correcta: A

La hoja de urgencias se conservará como mínimo cinco años a partir de la fecha del último episodio asistencial en que el paciente haya sido atendido en el hospital. Su contenido mínimo será el siguiente: a) Datos de identificación y ubicación o procedencia del paciente; b) Datos relacionados con la asistencia al paciente en urgencias, que incluye: Anamnesis, exploración y tratamiento administrado, impresión diagnóstica, tratamiento recomendado a seguir y datos de salida del paciente.

42.- Respuesta correcta: C

La Comisión de Selección y Conservación de la Documentación Clínica adscrita a la Conselleria de Sanidad se renovará por mitades cada tres años, de manera que se garantice la continuación de sus trabajos y la eficacia de sus resultados.

43.- Respuesta correcta: A

Asesorar y orientar a la Conselleria de Sanidad en materia de Bioética es función propia del Consejo de Bioética de la Comunidad Valenciana.

44.- Respuesta correcta: A

El Consejo Asesor de Bioética de la Comunidad Valenciana elaborará y aprobará su propio Reglamento de Funcionamiento Interno. En él se establecerá la periodicidad de sus reuniones, que deberá ser, al menos, anual.

45.- Respuesta correcta: D

Será de aplicación el régimen sancionador previsto en el capítulo VI del título I de la Ley 14/1986, de 25 de abril, General de Sanidad; en el título VII de la Ley 15/1999, de 13 de diciembre, de Protección de Datos de Carácter Personal, y en el artículo 5.2 de la Ley 28/1992, de 24 de noviembre, de Ordenación Económica y Medidas Presupuestarias Urgentes, referente a utilización abusiva de la prescripción de medicamentos.

Respuestas y comentarios al cuestionario n.º 12

1.- Respuesta correcta: C

Decreto 215/2009, de 27 de noviembre, del Consell, por el que se regulan los Servicios de Atención e Información al Paciente (SAIP). DISPOSICIÓN DEROGATORIA: Quedan derogadas todas aquellas normas de igual o inferior rango que se opongan o contradigan a lo establecido en este decreto y, en particular, el Decreto 2/2002, de 28 de enero, del Consell, por el que se crean los Servicios de Atención e Información al Paciente.

2.- Respuesta correcta: D

Como una mejora en la atención al paciente y para garantizar que los ciudadanos de la Comunitat Valenciana reciban siempre una atención de la máxima calidad por parte de todos los profesionales con función de atención directa, puntos de información y personal de mostradores, se integrará, a nivel funcional, en la estructura SAIP, con el fin de poder unificar los criterios de atención y cualificación profesional, y estos profesionales seguirán dependiendo a nivel orgánico de sus respectivos órganos de dirección.

3.- Respuesta correcta: D

El Servicio de Atención e Información al Paciente (SAIP) es la unidad funcional responsable de atender, informar y asesorar a las ciudadanas y ciudadanos que utilizan el sistema sanitario público, así como tramitar las quejas, sugerencias y agradecimientos que realicen. El SAIP se constituye como un servicio integrado en el Departamento de Salud, interconectando y homogeneizando las actividades y criterios de actuación de la asistencia sanitaria y socio-sanitaria.

4.- Respuesta correcta: A

En cada Departamento de Salud habrá, al menos, una unidad básica SAIP para los pacientes de Atención Primaria, una para el Centro de Especialidades, si lo hubiere, y una en el hospital u hospitales cuando sean más de uno en el Departamento de Salud, así como en los hospitales de media y larga estancia.

5.- Respuesta correcta: D

El SAIP, para alcanzar los objetivos de eficacia y eficiencia, desarrolla sus funciones en cada Departamento a través de esta estructura: a) Coordinadora / coordinador SAIP del Departamento; b) Unidades básicas de atención e información al paciente; c) Puntos SAIP de información; d) Personal de mostradores y atención telefónica.

6.- Respuesta correcta: A

El personal de los SAIP dependerá orgánicamente de la Gerencia de su Departamento y funcionalmente de la Dirección General de Calidad y Atención al Paciente.

7.- Respuesta correcta: D

Las funciones de las unidades básicas SAIP se basan en la atención personalizada y la información al paciente: a) Captar las inquietudes y necesidades de los pacientes en materia de asistencia sanitaria y canalizarlas hacia los órganos directivos; b) Tutelar el cumplimiento de los derechos de los pacientes reconocidos por Ley; c) Tutelar de manera especial el derecho a la libre elección de médico, centro de atención primaria o especialista, así como el derecho a la segunda opinión médica; d) Velar por el cumplimiento de las obligaciones que tienen, según la normativa vigente, los pacientes en relación con los servicios y recursos del sistema sanitario público; e) Informar y asesorar a los pacientes sobre aquellas cuestiones demandadas por ellos en su ámbito de competencia; f) Tramitar las quejas, sugerencias y agradecimientos, proporcionando al ciudadano la documentación homologada que para ello se requiera, ante los órganos responsables; g) Colaborar en la realización de encuestas de calidad percibida por los pacientes del Departamento, así como en las tareas de análisis y evaluación del PIGAP; h) Colaborar con la Gerencia de su Departamento y el equipo directivo, dentro de su ámbito de competencia, especialmente en todas las tareas encaminadas a mejorar la satisfacción del paciente; i) Colaborar con la Dirección General de Calidad y Atención al Paciente en cuantas iniciativas encaminadas a dar una mejor atención a los pacientes sean establecidas al efecto; j) Remitir las quejas, sugerencias y agradecimientos a las empresas contratistas, comunicando a la vez dichas incidencias, para su conocimiento y efectos oportunos, al Área de Conciertos; k) Formar parte del Comité de Bioética Asistencial, cuando se sea designado para ello; l) Elevar al Comité de Bioética Asistencial las consultas que en este sentido formulen los pacientes.

8.- Respuesta correcta: C

Los ciudadanos podrán solicitar que se les asigne un nuevo médico general, pediatra, facultativo especialista y/o centro sanitario, entre los del Departamento de Salud al que pertenecen, según el Decreto 37/2006. Este trámite se puede realizar en los Servicios de Atención e Información al Paciente (SAIP) del Departamento de Salud que el paciente tenga asignado en su tarjeta sanitaria.

9.- Respuesta correcta: A

Los ciudadanos, para todo lo relacionado con las donaciones de órganos y los trasplantes, pueden informarse adecuadamente en el SAIP de cualquier hospital público de la Comunidad Valenciana, o podrán solicitar el documento de Voluntades Anticipadas en el Despacho de Coordinación del SAIP.

10.- Respuesta correcta: B

El SAIP del hospital es quien facilitará el acceso a la historia clínica.

11.- Respuesta correcta: C

En la Orden de 23 de marzo de 2007, del Conseller de Sanidad, se atribuyen estas otras funciones al SAIP: a) Facilitar la petición de acceso a la historia clínica; b) Facilitar los trámites para la obtención de las certificaciones médicas que se requieran para las adopciones; y también la adopción de niños en el extranjero; c) Coordinar la atención a la persona maltratada (podrá intervenir en los casos de violencia de género o maltrato o abuso de menores, coordinándose con las instituciones y organismos con competencias en dichos casos, con el fin de dar una respuesta integral y de máxima eficacia); d) Coordinar la orientación de los pacientes con enfermedades raras (actuarán como elemento de relación entre los pacientes y las correspondientes asociaciones de enfermos).

12.- Respuesta correcta: A

Es personal con dedicación completa al SAIP: a) Coordinadora / coordinador SAIP del Departamento; b) Personal de las unidades básicas SAIP. El personal en servicio en los Puntos SAIP de información, así como el de mostradores y atención telefónica, es personal con funciones relacionadas con el SAIP, y éstas serán exclusivamente de información y atención al paciente, sin perjuicio de otras que le correspondan en desarrollo del resto de funciones propias de su categoría.

13.- Respuesta correcta: C

Las unidades básicas SAIP estarán dotadas, al menos, del siguiente personal: 1) Una enfermera/enfermero jefe SAIP; 2) Una enfermera/enfermero; 3) Personal administrativo.

14.- Respuesta correcta: A

Requisitos del personal del SAIP: Coordinador / coordinadora SAIP: Licenciatura en Medicina y Cirugía; Personal de enfermería: Diplomatura en Enfermería.

15.- Respuesta correcta: A

Formación profesional específica del personal SAIP. Coordinadores y personal de enfermería: 100 horas lectivas acreditadas por la Escuela Valenciana de Estudios para la Salud (EVES); administrativos, personal de mostradores y atención telefónica y Puntos de información: 50 horas lectivas acreditadas por la Escuela Valenciana de Estudios para la Salud (EVES).

16.- Respuesta correcta: D

Para las tareas específicas que desarrolla el personal con dedicación completa al SAIP, se valorará: a) Ser buen conocedor de la institución sanitaria y sus recursos asistenciales, así como de la legislación y demás normativa vigente relacionada con sus funciones; b) Tener habilidades de negociación para su relación con los demás profesionales asistenciales; c) Tener habilidades de comunicación para su relación con los pacientes, fundamentalmente tal y como recoge la Ley 1/2003, de 28 de enero, de la Generalitat, de Derechos e Información al Paciente de la Comunitat Valenciana: respeto, comprensión, amabilidad y serenidad con la que todos los pacientes han de ser tratados; d) Tener formación específica en las herramientas informáticas SAIP, Programa de Información y Gestión y Atención al Paciente (PIGAP) y Voluntades Anticipadas (Volant) o en cualquier otra aplicación informática relacionada con la atención al paciente que introduzca la Dirección General de Calidad y Atención al Paciente.

17.- Respuesta correcta: C

Tienen la consideración de quejas los escritos y comunicaciones en los que los pacientes formulen únicamente manifestaciones de disconformidad con la prestación de los servicios, especialmente sobre tardanzas, desatenciones o cualquier otro tipo análogo de deficiente actuación que observen en el funcionamiento de los servicios públicos de la Administración sanitaria, que constituya falta de calidad en el servicio prestado. Las sugerencias son las propuestas formuladas por los pacientes para mejorar la calidad de los servicios públicos de la Administración sanitaria y, en especial, aquellas que puedan contribuir a simplificar, reducir o eliminar trámites o molestias en sus relaciones con la administración sanitaria. El agradecimiento se entiende como la expresión del reconocimiento que realiza un paciente ante lo que considera un trabajo bien realizado por un profesional o servicio, así como por el trato recibido.

18.- Respuesta correcta: A

Tendrán la consideración de quejas los escritos y comunicaciones en los que los pacientes realicen únicamente manifestaciones de disconformidad con la prestación de los servicios, especialmente sobre tardanzas, desatenciones o cualquier otro tipo análogo de deficiente actuación que observen en el funcionamiento de los servicios públicos de la Administración sanitaria, que constituya falta de calidad en el servicio prestado. No tienen la consideración de quejas, a efectos de la presente orden, las denuncias que puedan presentar los pacientes poniendo de manifiesto posibles irregularidades o infracciones de la legalidad que puedan entrañar responsabilidad disciplinaria del personal al servicio de las instituciones sanitarias dependientes de la Agencia Valenciana de Salud y de la Conselleria de Sanitat, las cuales darán lugar a las investigaciones y actuaciones correspondientes por el Área de Inspección, Evaluación y Ordenación de la Conselleria de Sanitat. Igualmente, las quejas no tienen la naturaleza de recurso administrativo, reclamaciones previas al ejercicio de acciones judiciales, reclamaciones por responsabilidad patrimonial de la Administración, ni de reclamaciones económico-administrativas, por lo que su presentación no paraliza los plazos establecidos para los citados recursos y reclamaciones de la normativa vigente. Tampoco tienen tal naturaleza las solicitudes presentadas al amparo de la Ley Orgánica 4/2001, de 12 de noviembre, reguladora del derecho de petición.

19.- Respuesta correcta: C

Los pacientes presentarán sus quejas, sugerencias y agradecimientos por escrito, debiendo indicar: a) Nombre y apellidos; b) Domicilio a efectos de notificación; c) Teléfono de contacto, si dispone de él; d) Hechos y razones, en los que se concrete con claridad la queja o exposición de la sugerencia o el agradecimiento; e) Lugar y fecha; f) Firma; g) Departamento de Salud, hospital o centro de salud al que se dirige.

20.- Respuesta correcta: B

Los pacientes pueden presentar sus quejas, sugerencias y agradecimientos por escrito, en los Servicios de Atención e Información al Paciente (SAIP), en el Registro General de la Conselleria de Sanidad, en los registros de los servicios territoriales o en cualquiera de las formas previstas en el artículo 38.4 de la Ley de Régimen Jurídico de las Administraciones públicas y del Procedimiento Administrativo Común. También se podrá realizar la presentación, registro, tramitación y contestación de las quejas, sugerencias y agradecimientos por vía telemática, que tendrá plena validez ajustándose a las condiciones y requisitos previstos en el Decreto 18/2004, de 13 de febrero, del Consell, de creación del Registro Telemático de la Generalitat.

21.- Respuesta correcta: C

Las unidades de registro, cuando esta no sea un SAIP, enviarán a la Dirección General de Calidad y Atención al Paciente de la Agencia Valenciana de Salud, para su conocimiento y posterior análisis, los escritos cuyo contenido sea competencia del ámbito sanitario.

22.- Respuesta correcta: C

El expurgo de la documentación de los expedientes de quejas que obren en la Dirección General para la Atención al Paciente, podrá efectuarse al cabo de cinco años.

23.- Respuesta correcta: C

Presentada la queja o sugerencia, según el artículo 8 de la Orden de 27 de septiembre, de la Conselleria de Sanidad, el órgano responsable de la respuesta abrirá un expediente informativo, llevando a cabo las indagaciones y diligencias que considere pertinentes. Entre las actuaciones a realizar deberá obtener la información oportuna de la unidad o servicio directamente afectados.

24.- Respuesta correcta: B

La notificación deberá comunicarse al interesado en un plazo no superior a un mes desde que la queja o sugerencia tuvo entrada en el registro del órgano competente de la respuesta. La notificación de la respuesta se regirá por las normas que regulan este trámite para los actos administrativos.

25.- Respuesta correcta: D

La respuesta a las quejas y sugerencias es responsabilidad del gerente del Departamento de Salud que podrá delegar en: a) director médico de hospital; b) director del Área Clínica del hospital; c) director médico de Atención Primaria; d) director de Enfermería del Departamento; e) director de Enfermería de Atención Primaria; f) subdirectores médicos del hospital, en función del ámbito de competencia de los mismos. En el caso de los centros privados con los que se haya contratado la prestación del servicio, es competencia del director del centro la respuesta al paciente, debiendo enviar copia de la misma a la Dirección General de Calidad y Atención al Paciente. Las referidas a la actividad de los Servicios Centrales de la Conselleria, las respectivas Direcciones Generales en su ámbito de competencia, y las Direcciones Territoriales respecto de aquellas que afecten a órganos, unidades y servicios de su competencia.

26.- Respuesta correcta: A

En cualquier momento, el paciente podrá recabar información sobre el estado de tramitación de su queja o sugerencia.

27.- Respuesta correcta: C

Los escritos de respuesta a las quejas se ajustarán a las siguientes directrices, contemplando como mínimo: a) Respuesta lo más rápida posible, sin necesidad de agotar plazos; b) Personalización de la respuesta; c) Respuesta a todo el contenido planteado, con referencia a los informes recabados; d) Contestación formulada en términos sencillos, fácilmente inteligible y sin utilización de tecnicismos; e) Expresión, en su caso, de las acciones que se promoverán para corregir los defectos que han originado la queja, o para materializar las iniciativas sugeridas que se decida aceptar; f) Disculpas por las molestias que se le hayan podido causar y agradecimiento por la oportunidad de mejora que las mismas brindan.

28.- Respuesta correcta: B

La mera estadística de quejas y sugerencias dirigidas a un Departamento de Salud no será considerada en sí misma exponente negativo del mismo. Por el contrario, sí lo será la falta de respuesta y/o la pasividad o desconsideración hacia las quejas y sugerencias hacia el paciente que las expone.

29.- Respuesta correcta: A

El tercer mes de cada año, la Dirección General de Calidad y Atención al Paciente elaborará, con los datos obtenidos en PIGAP, un informe estadístico valorativo de las quejas y sugerencias presentadas y tramitadas en el año anterior, así como de las respuestas y acciones adoptadas, en su caso. Este informe estadístico se pondrá en conocimiento del Conseller y del director gerente de la Agencia Valenciana de Salud.

30.- Respuesta correcta: D

Son herramientas de la gestión de la calidad: a) Las guías y protocolos de actuación clínica y asistencial para la toma de decisiones basadas en la evidencia científica; b) Las normas de calidad y seguridad para garantizar la seguridad en la atención sanitaria; c) Los sistemas de información cada vez más homogéneos que permitan medir, comparar y evaluar la calidad de los servicios sanitarios de forma homologada, así como registrar prácticas que contemplen un valor añadido a la calidad de los servicios.

Respuestas y comentarios al cuestionario n.º 13

1.- Respuesta correcta: A

La Ley 16/2003, de 28 de mayo, de Cohesión y Calidad del Sistema Nacional de Salud, establece, en su artículo 57, que el acceso de los ciudadanos a las prestaciones de la atención sanitaria que proporciona el Sistema Nacional de Salud se facilitará a través de la Tarjeta Sanitaria Individual, como documento administrativo que acredita determinados datos de su titular. Del mismo modo, la Ley establece que, sin perjuicio de su gestión en el ámbito territorial respectivo por cada comunidad autónoma, las tarjetas incluirán, de manera normalizada, los datos básicos de identificación del titular de la tarjeta, del derecho que le asiste en relación con la prestación farmacéutica y del servicio de salud o entidad responsable de la asistencia sanitaria. El Real Decreto 183/2004, de 30 de enero, por el que se regula la Tarjeta Sanitaria Individual, en desarrollo del artículo 57 de la Ley 16/2003, de 28 de mayo, de Cohesión y Calidad del Sistema Nacional de Salud, regula la emisión y validez de la Tarjeta Sanitaria Individual, los datos básicos comunes que de forma normalizada deberán incorporar, el código de identificación personal del Sistema Nacional de Salud y la base de datos de población protegida de dicho sistema.

2.- Respuesta correcta: D

Los extranjeros que se encuentren en España, inscritos en el padrón del municipio en el que tengan su domicilio habitual, tienen derecho a la asistencia sanitaria en las mismas condiciones que los españoles. Los extranjeros que se encuentren en España tienen derecho a la asistencia sanitaria pública de urgencia por enfermedad grave o accidente, cualquiera que sea su causa, y a la continuidad de dicha atención hasta la situación de alta médica. Los extranjeros menores de 18 años que se encuentren en España tienen derecho a la asistencia sanitaria en las mismas condiciones que los españoles. Las extranjeras embarazadas que se encuentren en España tienen derecho a la asistencia sanitaria durante el embarazo, parto y posparto. El periodo de posparto es, como mínimo, de 6 semanas.

3.- Respuesta correcta: A

Con el fin de proceder a la generación del código de identificación personal del Sistema Nacional de Salud, el Ministerio de Sanidad y Consumo, a través del Instituto de Información Sanitaria, desarrollará una base datos que recoja la información básica de los usuarios del Sistema Nacional de Salud. La base de datos de población protegida del Sistema Nacional de Salud será mantenida por las Administraciones sanitarias emisoras de la Tarjeta Sanitaria Individual. Dichas Administraciones serán las competentes para la inclusión en aquella de las personas protegidas en su ámbito territorial. Del mismo modo, serán las responsables del tratamiento de los datos, actuales e históricos, de su población protegida.

4.- Respuesta correcta: A

Las Administraciones sanitarias autonómicas y el Instituto Nacional de Gestión Sanitaria emitirán una Tarjeta Sanitaria Individual con soporte informático a las personas residentes en su ámbito territorial que tengan acreditado el derecho a la asistencia sanitaria pública. La Tarjeta Sanitaria Individual emitida por cualquiera de las Administraciones sanitarias competentes será válida en todo el Sistema Nacional de Salud, y permitirá el acceso a los centros y servicios sanitarios del sistema en los términos previstos por la legislación vigente.

5.- Respuesta correcta: B

El código de identificación personal del Sistema Nacional de Salud actuará como clave de vinculación de los diferentes códigos de identificación personal autonómicos que cada persona pueda tener asignado a lo largo de su vida.

6.- Respuesta correcta: D

Corresponde a la Conselleria de Sanidad la planificación, implantación, gestión continuada y evaluación del SIP, así como la determinación de las características y contenido de la tarjeta sanitaria.

7.- Respuesta correcta: D

La finalidad y uso del fichero SIP: acreditar el derecho a la asistencia sanitaria prestada por la Conselleria de Sanidad, a través de sus servicios de salud, mediante la distribución de tarjetas sanitarias. Sustitución de la cartilla de la Seguridad Social como documento acreditativo del derecho. Facilitar la libre elección de médico. Ayudar al control del fraude en la prestación de servicios. Mejorar el control del gasto de farmacia. Posibilitar la compensación por la atención sanitaria de los no residentes en la Comunidad Valenciana. Conocimiento epidemiológico de la población. Promoción de la salud. Prevención de enfermedades. Estudios de salud pública.

8.- Respuesta correcta: D

Los servicios o unidades ante los cuales se puedan ejercitar los derechos de acceso, rectificación y cancelación de cualquier dato referido a identificación, localización, acreditación de las prestaciones sanitarias, centro sanitario y médico asignado o número de registro de los afectados son: a) Registro Central del SIP; b) Unidades de Afiliación y Validación de la Conselleria de Sanidad; c) centros de salud/consultorios que se determinen; d) Unidades de Evaluación y Control Asistencial de la Conselleria de Sanidad. Los servicios o unidades ante los cuales se puedan ejercitar los derechos de acceso y rectificación de los datos de identificación y localización de los afectados: a) Hospitales dependientes de la Generalitat Valenciana. Los servicios o unidades ante los cuales se puedan ejercitar los derechos de acceso a cualquier dato referido a identificación, localización, acreditación de las prestaciones sanitarias, centro sanitario y médico asignado o número de registro de los afectados: a) servicios/unidades de la Conselleria de Sanidad y organismos dependientes.

9.- Respuesta correcta: D

El número SIP deberá constar, con carácter obligatorio, en todos los documentos que constituyen el registro de actividades clínicas de los servicios asistenciales y que requieran la identificación del paciente, los documentos relacionados con los programas de salud, las recetas oficiales de farmacia, los documentos de solicitud de prestaciones sanitarias complementarias y, en general, cualquier otro documento de índole sanitaria. Asimismo, se incluirá el número SIP en la estructura de todos los ficheros informatizados de pacientes existentes de la Conselleria de Sanidad. Pero no incluirán el número SIP los documentos, registros y ficheros informatizados en los que, por su carácter de confidencialidad, la inclusión del número SIP contraviniera la normativa vigente.

10.- Respuesta correcta: B

A todas las personas registradas en el SIP se les asignará un único número SIP de identificación personal, que es exclusivo, perdurable e independiente del estado de alta o de baja en el SIP.

11.- Respuesta correcta: C

Los grupos de aseguramiento del sistema sanitario público de la Comunidad Valenciana son: Grupo 1. «Protección estatal»; Grupo 2. «Protección autonómica»; Grupo 3. «Desplazados de otra Comunidad Autónoma o País»; Grupo 4. «Privados».

12.- Respuesta correcta: D

La Generalitat financiará con cargo a sus presupuestos todas las prestaciones sanitarias referidas a los Grupos de Aseguramiento, salvo en el caso de las prestaciones realizadas a las personas cuyas modalidades de aseguramiento estén incluidas en el Grupo de aseguramiento 4. «Privados».

13.- Respuesta correcta: B

La Conselleria de Sanidad acreditará el derecho a las prestaciones del sistema sanitario público de la Comunitat Valenciana, incluyéndose en el grupo «Protección estatal» a las personas a quienes resulte de aplicación lo dispuesto en el Real Decreto 1088/1989, de 8 de septiembre, por el que se extiende la cobertura de la asistencia sanitaria de la Seguridad Social a las personas sin recursos económicos suficientes (con cargo a transferencias estatales).

14.- Respuesta correcta: D

Se incluirá en el grupo «Protección autonómica» a las personas residentes en la Comunidad Valenciana no incluidas en los grupos «Protección estatal», «Desplazados de otra Comunidad Autónoma o País» y «Privados» que estén en alguna de las siguientes situaciones: a) Afiliados a la Seguridad Social en situación de baja de cotización por cese en la actividad laboral en cualquiera de sus regímenes, y los beneficiarios de los mismos; b) Colectivos de personas que, en base a convenios y otros acuerdos, les sea reconocido el derecho a las prestaciones sanitarias; c) A todas las mujeres embarazadas, excluidas las embarazadas extranjeras, por estar incluidas en la modalidad de aseguramiento del Grupo 1. «Protección estatal»; d) A los extranjeros que se encuentren en el territorio de la Comunitat Valenciana cuando justifiquen la ausencia de recursos económicos suficientes y no puedan acreditar el requisito de residencia en la misma (Tarjeta Solidaria).

15.- Respuesta correcta: A

A los menores de 18 años residentes en la Comunitat Valenciana que se encuentren bajo la tutela de las Administraciones públicas se les reconocerá el derecho a las prestaciones sanitarias con las mismas características que las proporcionadas por el Régimen General de la Seguridad Social a los pensionistas.

16.- Respuesta correcta: D

Los extranjeros que se encuentren en el territorio de la Comunidad Valenciana cuando justifiquen la ausencia de recursos económicos suficientes y no puedan acreditar el requisito de residencia en la misma (Tarjeta Solidaria), tendrán derecho a las prestaciones sanitarias con las mismas características que las proporcionadas por el Régimen General de la Seguridad Social a los pensionistas. En los demás casos, excepto el colectivo de extranjeros que, en base a convenios y otros acuerdos, les sea reconocido el derecho a las prestaciones sanitarias que se estipulen en el oportuno convenio, se accederá a las prestaciones sanitarias con las mismas características que la Seguridad Social otorga a los trabajadores en situación de activo.

17.- Respuesta correcta: A

Las personas no residentes en la Comunitat Valenciana, en posesión de la Tarjeta Sanitaria Individual válida y en vigor, emitida por una Administración sanitaria autonómica conforme a la normativa estatal vigente o de documento oficial acreditativo de su condición de titular o beneficiario de la prestación de asistencia sanitaria de la Seguridad Social en cualquiera de sus regímenes, incluidos regímenes especiales de Seguridad Social gestionados por las mutualidades administrativas, cuando se haya optado por recibir las prestaciones sanitarias de la red sanitaria pública, tendrá derecho a acceder en la Comunitat Valenciana a las prestaciones sanitarias del catálogo de prestaciones del Sistema Nacional de Salud en los términos que contempla la normativa estatal vigente.

18.- Respuesta correcta: B

La financiación de las prestaciones farmacéuticas y ortoprotésicas se realizará de conformidad con lo establecido en la normativa estatal y autonómica sobre esta materia. La Generalitat financiará con cargo a sus Presupuestos todas las prestaciones sanitarias referidas a los grupos de aseguramiento, salvo en el caso de las prestaciones realizadas a las personas cuyas modalidades de aseguramiento estén incluidas en el Grupo de Aseguramiento 4. «Privados». En el caso de las prestaciones sanitarias prestadas en aplicación de los reglamentos comunitarios y convenios bilaterales en materia de asistencia sanitaria de la Seguridad Social, las mismas se facilitarán sin perjuicio de la facultad de promover ante la autoridad competente el reintegro del coste de estas prestaciones para que se inste la reclamación correspondiente a la institución garante extranjera, en la forma que establezca su normativa específica. En el caso de las prestaciones sanitarias realizadas en la Comunitat Valenciana a personas residentes en otras comunidades autónomas, la financiación de las mismas con cargo a los Presupuestos de la Generalitat se realizará sin perjuicio del derecho al reintegro del coste de estas prestaciones, de conformidad con lo establecido en la normativa estatal sobre financiación de los servicios sanitarios públicos. Podrán suscribir convenio de asistencia sanitaria con la Generalitat, según el Decreto 149/2009, de 25 de septiembre, del Consell, por el que se regula el convenio de asistencia sanitaria a pacientes privados, los ciudadanos españoles o extranjeros no acreditados ni reconocidos en ninguna de las modalidades de aseguramiento, con los requisitos, procedimientos, cuotas y condiciones que se establezcan por desarrollo reglamentario, siempre que sean residentes en la Comunidad Valenciana y reúnan los siguientes requisitos: a) Estar empadronado en cualquiera de los municipios de la Comunidad Valenciana con una antigüedad mínima de 6 meses y acreditar la residencia efectiva; b) Solicitar, en modelo oficial, la suscripción voluntaria del convenio de asistencia sanitaria ante la dirección territorial de la Consellería de Sanidad, que corresponda por el domicilio del solicitante; c) No tener la obligación legal de cotizar a la Seguridad Social o a cualquier otro sistema de previsión pública, español o extranjero; d) No poder acceder a la condición de beneficiario de un sistema de protección sanitaria pública a cargo de la Seguridad Social u otra entidad pública, española o extranjera, responsable de la cobertura de prestaciones sanitarias por cualquier título jurídico, ni tener posibilidad de acceso a algunos de ellos.

19.- Respuesta correcta: C

El convenio de asistencia sanitaria a pacientes privados regulado en este Decreto no es un instrumento de cobertura de asistencia sanitaria pública alternativo a los establecidos en la normativa estatal de la Seguridad Social, en los reglamentos comunitarios en materia de Seguridad Social o en los convenios bilaterales que en dicha materia estén suscritos por España, para la prestación de asistencia sanitaria de la Seguridad Social por enfermedad común, accidente no laboral y maternidad.

20.- Respuesta correcta: D

La acreditación es necesaria. El procedimiento de acreditación del derecho a las prestaciones sanitarias e inclusión de una persona en una modalidad de aseguramiento, se regulará reglamentariamente, se iniciará de oficio o a instancia de parte, y deberá ajustarse a lo dispuesto en la legislación reguladora del procedimiento administrativo común para las administraciones públicas. La inclusión de una persona en cualquiera de las modalidades de aseguramiento y las prestaciones a que da derecho dicha modalidad se mantendrán vigentes en tanto no se modifiquen los requisitos determinantes de aquella inclusión. La renovación de la acreditación requerirá cumplir con los requisitos establecidos para cada modalidad, presentando de nuevo la documentación actualizada y siguiendo los trámites que al efecto se establezcan. Tendrá vigencia temporal las modalidades de aseguramiento del Grupo 2. «Protección autonómica».

21.- Respuesta correcta: D

Tendrán vigencia temporal las modalidades de aseguramiento siguientes: Las modalidades de aseguramiento del Grupo 2. «Protección autonómica». Las personas a quienes resulte de aplicación lo dispuesto en el Real Decreto 1088/1989, de 8 de septiembre, por el que se extiende la cobertura de la asistencia sanitaria de la Seguridad Social a las personas sin recursos económicos suficientes.; Los menores de 18 años que se encuentren en la Comunidad Valenciana en situación de riesgo o bajo tutela o guarda de las Administraciones públicas.

22.- Respuesta correcta: D

La Tarjeta Sanitaria Individual SIP dejará de tener validez cuando caduque su plazo de vigencia, cuando se emita una nueva tarjeta por cualquier circunstancia, en caso de disparidad respecto al SIP y, en general, cuando no sea fiel reflejo de la identificación o de la relación específica de aseguramiento del titular.

23.- Respuesta correcta: C

La Tarjeta Sanitaria Individual SIP es el documento administrativo emitido por la Administración Pública Valenciana que identifica y acredita al titular de la misma ante los servicios sanitarios públicos del Sistema Nacional de Salud y permite el acceso a las prestaciones del mismo. La Tarjeta Sanitaria Individual SIP emitida por la Conselleria de Sanidad será el único documento válido de identificación y de acreditación del nivel de prestaciones a efectos de asistencia para los ciudadanos de la Comunidad Valenciana. La información contenida en la Tarjeta Sanitaria Individual SIP se extrae de los datos recogidos por el Sistema de Información Poblacional de la Conselleria de Sanidad. La Tarjeta Sanitaria Individual SIP dejará de tener validez cuando caduque su plazo de vigencia, se emita una nueva tarjeta, en caso de disparidad respecto al SIP y, en general, cuando no sea fiel reflejo de la identificación o de la relación específica de aseguramiento del titular.

24.- Respuesta correcta: B

Se expedirá la Tarjeta Sanitaria Individual SIP a las personas que, figurando de alta en el Sistema de Información Poblacional, estén incluidas en las modalidades de aseguramiento del Grupo 1. «Protección estatal» y los de la modalidades de aseguramiento del Grupo 2. «Protección autonómica».

25.- Respuesta correcta: A

A tenor de lo establecido en el artículo 3 del Decreto 126/1999, de 16 de agosto, del Consell, por el que se crea el Sistema de Información poblacional de la Conselleria de Sanidad, la Tarjeta Sanitaria Individual SIP se entregará a todos los ciudadanos incluidos en el SIP.

26.- Respuesta correcta: B

A los efectos de reconocer y acreditar en el SIP el derecho de acceso a las prestaciones sanitarias del Sistema Nacional de Salud en la Comunitat Valenciana, serán admitidos los siguientes documentos: a) Las tarjetas sanitarias individuales emitidas por otras Administraciones sanitarias autonómicas ajustadas a los requisitos establecidos en el Real Decreto 183/2004, de 30 de enero; b) Documentos expedidos por las entidades gestoras de la Seguridad Social acreditativas del derecho a la prestación de asistencia sanitaria de la Seguridad Social; c) Los documentos expedidos por las mutualidades administrativas gestoras de los regímenes especiales de Seguridad Social de los funcionarios civiles de la administración General del Estado, del personal de las Fuerzas Armadas y del personal de la Administración de Justicia, acreditativas del derecho a las prestaciones sanitarias por el sistema público de salud de sus mutualistas; d) Tarjeta sanitaria europea y restantes documentos de derecho a asistencia sanitaria de la Seguridad Social expedidos de conformidad con los reglamentos comunitarios y/o convenios bilaterales suscritos por el Estado Español en materia de prestaciones de Seguridad Social.

27.- Respuesta correcta: A

Como usuarios debemos saber que las prestaciones sanitarias no son gratuitas para todos: dependerá de la modalidad de aseguramiento. Se entiende por modalidad de aseguramiento los títulos que habilitan el derecho de acceso a las prestaciones sanitarias. La no aportación de alguno de los documentos que acreditan el derecho de acceso a las prestaciones sanitarias del Sistema Nacional de Salud en la Comunidad Valenciana puede impedir conocer a qué prestaciones tenemos derecho y en qué condiciones. En cualquier caso, la no aportación de alguno de los documentos acreditativos no nos eximirá de recibir la asistencia sanitaria que precisemos en los centros sanitarios valencianos, pero seremos considerados como paciente privado mientras no acreditemos nuestro derecho a la gratuidad de la asistencia, y podrá sernos reclamado el pago de las prestaciones sanitarias recibidas en la forma legalmente establecida.

28.- Respuesta correcta: D

Se crea el Documento de Inclusión en el SIP, que se emite a efectos administrativos, para ser utilizado exclusivamente en la Comunidad Valenciana, con el fin de garantizar el correcto acceso a las prestaciones, facilitar la gestión del SIP y del conjunto de sistemas de información corporativos de la Conselleria de Sanidad. El Documento de Inclusión en el SIP se entregará a las personas registradas de alta en el SIP que no tengan derecho a recibir la Tarjeta Sanitaria Individual. Dicho documento no concede, por sí mismo, derecho a prestaciones sanitarias, y las personas a quienes se haga entrega de este documento deberán presentar junto al mismo alguno de los documentos exigidos a los efectos de reconocer y acreditar en el SIP el derecho de acceso a las prestaciones sanitarias del Sistema Nacional de Salud en la Comunidad Valenciana.

29.- Respuesta correcta: C

La obtención de la Tarjeta Solidaria para extranjeros no empadronados se realizará por las unidades de Afiliación y Validación de la Conselleria de Sanidad, una vez recibida la solicitud a través de los trabajadores sociales, tanto de los centros sanitarios como de los Ayuntamientos. Las unidades de Afiliación y Validación expedirán una tarjeta con carácter temporal por un periodo de un año, que podrá ser ampliado cuando se demuestren causas objetivas que hayan podido dificultar el proceso de normalización administrativa. Las ONG legalmente reconocidas en el ámbito sanitario podrán participar en la entrega y distribución de las tarjetas.

30.- Respuesta correcta: A

Para el reconocimiento del derecho a la asistencia sanitaria a las extranjeras embarazadas, no incluidas en los padrones municipales de la Comunidad Valenciana, el procedimiento administrativo se iniciará por el centro de Atención Primaria que corresponda a su domicilio habitual, debiendo aportarse al expediente los datos de identificación y localización y el informe médico de confirmación del embarazo. La unidad administrativa del centro de Atención Primaria procederá a inscribir a la solicitante en la base de datos del Sistema de Información Poblacional y se le entregará una tarjeta de asistencia sanitaria que cubra los periodos de embarazo, parto y posparto. La solicitud y la documentación acreditativa del embarazo quedarán archivadas en el centro de Atención Primaria que la atendió.